JN123842

# あなたがのこしてくれたもの

この本は、みなさまから送っていただいたエピソードと僕の体験談をひとつにした本です。みなさまから送っていただいた文章は僕と編集部で編集させていただき掲載しております。旅立った人たちからの健気で美しくてやさしい愛がたっぷり詰まった世界一やさしい本です。この本が少しでも誰かの痛みに寄り添い……力になれますことを心から願っています。

326（ナカムラミツル）

※ 本書に掲載されている文章のうち、寄稿いただいたエピソードについては、原文のニュアンスをできるだけ保てるよう心がけて編集を行いました。たとえば、同じ「読み」でも異なる表記をしていることがあります。

僕のお仕事は絵を描くことです。小さい頃からの夢だった絵描きという夢を叶え、20年が経ちました。

もちろん楽しい毎日ですが、〆切に追われ、絵だけを描き続ける毎日に、ちょっとだけ疲れてしまうこともあります。

お仕事の中に、子どもたちの似顔絵を描くというものもあります。子どもたちの笑顔に救われ、気持ちが軽くなる大好きな仕事です。みんなからメール（おてがみ）をもらい、依頼をしてもらって絵を描きます。

これまでたくさんの子どもたちの絵を描きました。

そんなある日、あるママから、こんなお願いが届きました——

「目を開けることがなかったわたしの赤ちゃんの6歳になった姿を想像で描いてもらえませんか？」

ビックリしました。そんなお願いは初めてだったからです。

むずかしいことはわかっていました。描けるかどうかわからないけれど……でもどうしても描きたいなって思ったので、すぐ「やります」と言って描き始めました。

その子の名前は、結衣（ゆい）ちゃんといいました。

産まれてすぐ……目をあけることなく亡くなってしまった女の子の赤ちゃん。

目を閉じた結衣ちゃんの写真。そして、パパとママ。お兄ちゃんやお姉ちゃんたち。おばあちゃん。結衣ちゃんの家族の写真を送ってもらい、それを見て……想像して、もしも生きていたら今6歳になっているハズの結衣ちゃんの姿を想像して描きました。

でも……描いても描いても、うまく描けなくて、絵は完成しませんでした。

すごく困りました。こんなことは初めてだったからです。

今の結衣ちゃんの顔を想像しようとするたびに、一番しあわせな時が一番悲しい瞬間に変わってしまったママたちの気持ちや結衣ちゃんの気持ちに……自分の心が重なってしまい、涙があふれてしまい、うまく描けませんでした。

そうやって何日もずっとずーっと描けなくて、どうしたらいいんだろう？ と悩んでいたある日、不思議な夢を見ました。

ふわふわした雲の上みたいな場所を歩いていると、迷子になったのか、ちょこんとしゃがんだ女の子がいました。

「大丈夫かな？」そう思って話しかけると、「おかあさんにあいたい。おかあさんにだっこしてもらいたい」って泣きだしてしまいました。

「大丈夫。一緒に探そう」って、その子と手をつなぎ、一生懸命お母さんを探しましたが、ぜんぜん見つかりません。

握った手はあたたかく、その子は確かに、そこにいました。

歩きながらふと顔を見ると「あ、結衣ちゃんだ」って思いました。なぜだかそうわかりました。

結衣ちゃん、会いにきてくれたんだ……僕がぜんぜん絵が描けないから心配してきてくれたのかな？　って思いました。

そう思っていたら、いつのまにか目が覚めていました。

起きて、僕は「夢で出会えた結衣ちゃんの顔を忘れないように」すぐに絵を描きました。

すると、ずっと描けなかったのがウソのように、その日のうちに絵は完成しました。

嬉しくて、すぐにメールにくっつけて、結衣ちゃんママに絵を送りました。

その時に
実際に送った
イラストが
コチラ

絵を見たママは「結衣にそっくり……やっと会えた」と喜んでくれました。

想像で描いた絵をそっくりと言ってもらえたのは、生まれて初めてのことでした。

「結衣ちゃん……ママに会えたんだな……良かった」って、自分のことのように嬉しかったです。

それからしばらくして、結衣ちゃんママからメールが届きました。そのお手紙には、こんなことが書かれていました。

「結衣が亡くなってしまってからドンドン夫婦の会話が減っていき、家族が壊れそうになっていたのですが……今回「成長した結衣の絵を描いてほしい」とお願いをしたことをパパに話したら、『そのお金はパパが払いにいく。今すぐ行ってくる』と嬉しそうに話してくれ……そして、絵が届いたあの日から、わたしたち家族は、またゆっくりと元通りになっていきました。ありがとうございました。それもこれも先生と結衣のおかげです」

そのお手紙を読みながら、僕は涙がポロポロポロポロ、止まりませんでした。

ちなみに後日、教えていただいたのですが、結衣ちゃんの絵が届いてすぐ、それを見た結衣ちゃんパパは、「印刷してくる!」と言ってピューってコンビニに走っていったらしいです。「こんなにはりきっている楽しそうなパパを見るのは久しぶりでした」と教えてもらいました。嬉しかったなぁ。

パパ ひさしぶりの
全力疾走

ピュー

それから、僕の中に……心に、結衣ちゃんがたまに遊びにきてくれるような不思議な感覚が芽生えました。そのたびに、とってもやさしい、あたたかい気持ちになりました。

「結衣ちゃんが、家族をもういちどつないでくれたんだな……えらいね。よかったね……」って心から思いました。

結衣ちゃんとの出会いを通し、自分が絵を描く理由や絵描きになれた意味……そして、絵というものがなぜこの世界に必要なのか？　ということにもふれられたような、そんな気がしました。

結衣ちゃんが届けてくれたもの、結んでくれた縁は数え切れません。

僕の人生の意味。これから何をするべきか？　そんな大切なことを教えてくれたのは、まちがいなく結衣ちゃんでした。

僕の新しい夢を、結衣ちゃんが見つけてくれたのです。

早くに死んでしまった僕の父がさいごにのこしてくれた『絵を描く』楽しさと生き方。それが、結衣ちゃんと僕を出会わせてくれた……それって、僕の父の育て方や愛し方、その人生まで褒めてもらえたみたいで、嬉しくて嬉しくって、たまりませんでした。

このあともずっと絵を描くだけの人生でいいのかな？って、自分の生き方に自信が持てなかった僕に、父から「それでいいんだよ」って言ってもらえたような、そんな気持ちになりました。

結衣ちゃんがそのことを、父に代わって教えにきてくれたのです。

ありがとう、結衣ちゃん。

……このお話は　もう少しだけ続きます。

そんな嬉しいことがあってからしばらくたったある日、思いもしないメールが届きました。

「先生が描かれた結衣ちゃんの絵を見ました。この絵を今度、僕たちのイベントで飾らせてもらえませんか？」

それは、結衣ちゃんママのSNSを見たグリーフケアの団体の代表の方からのメールでした。

グリーフケアとは、大切な人を失ってしまった深い悲しみから、その人たちが少しでも立ち直れるように寄り添い、助けることです。

「結衣ちゃんをみんなに見てもらいたい！　結衣ちゃんママさえ良いと言ってくれるなら喜んでそうしてもらいたい」

そう思った僕は、結衣ちゃんママとその代表の方をつながせてもらい、どうなるか待ちました。

話を聞いた結衣ちゃんママが、すぐに「大丈夫ですよ」と言ってくれたので、結衣ちゃんの絵が大きく印刷されて会場に飾られることになりました。

「みんなが結衣ちゃんのことを見てくれる……嬉しいなぁ」

僕は嬉しくてたまりませんでした。

そして、イベント当日。

イベントに呼ばれていた結衣ちゃんママが小さいお姉ちゃんと2人で会場にいくと、大きく印刷された結衣ちゃんの絵が出迎えてくれました。

その絵をママが、ジーッと見つめていると、イベントのスタッフさんが「もしかして結衣ちゃんのママですか?」と声をかけてくれ、それからみんなでしばらくお話をしていたら……

突然、ガタガタっと絵が揺れて床に落ちてしまいました。

驚いたママが絵を拾い上げると……その様子を見ていた、そこにいたみんなが言ってくれたそうです。

「結衣ちゃん、よかったね。お母さんに抱っこしてもらえて」

「そうだね。よかったね。うれしいね」

そこでみんなが見たものは、ママに抱っこされた嬉しそうな結衣ちゃんの姿だったそうです。

「おかえり……結衣」

このお話は、
本のさいごに続きます。

# あなたがのこしてくれたもの

326

莉心（りこ）は、未成熟の片方だけの肺で、自発呼吸で
25分もがんばって生き様を見せてくれたよ。

妊娠6ヶ月で横隔膜ヘルニアが発覚して
MRIでも莉心の未成熟な肺の形を見ていたから、
主治医の「持って数分」という説明にはうなずけた。
酸素を送り込むにも莉心の肺の状態では難しいって言われていたのに、
奇跡の25分もみんなに抱っこさせてがんばって生きてくれた。
自分の元に再び戻ってきたときは、呼吸状態もよくなくて
「もうがんばらなくていいよ。もう充分だよ」って思っていたから、
小児科医から宣告されても、取り乱すことなく
みんな静かに莉心の死を受け入れることができたよ。

生きていることは奇跡ということ。
亡くなっても魂は生きている。
そして、お空の天使ちゃんたちも自分たちの気持ちを伝える術を探してる。
（天使ママ、パパだけじゃなくて、天使ちゃんたちにもグリーフケアが必要）

紗里（お姉ちゃん）は莉心が病気で
「紗里が思ってるような元気な妹ではないかもしれないよ」って教えてたのに
メルちゃんでお風呂の入れ方や食事介助、オムツ交換の練習をやめなくて、
莉心が亡くなってしばらくしてその真相を聞いたら
「莉心には長く生きてほしかったから」って泣きながら教えてくれました。

莉心ちゃん人形が届いたその日から、まるで「あの日の続き」のように
たくさん着せ替えしたり、ご飯を食べさせたり、
一緒に出かけたり、寝たり、物が落ちたら「莉心（が居る）」って言ったり、
今日もフルーツサンドを作って、莉心の祭壇に供えてあげていました。
姿はなくても、紗里の心の中には莉心が居て、お世話はずっと続いていますよ。

最近はあまり口にはしないけど、格（お兄ちゃん）もお菓子を買ってきたら
何も言わず必ず莉心の祭壇に、じゃが〝りこ〟を供えてくれます。

326より

25分間だけ会いにきてくれた妹にまた会いたいと思っていたお姉ちゃんに
僕がサプライズで莉心の絵を描いて、そしてお人形を作って送りました。
それからは、できなかったふたりでの新しい思い出作りを
楽しんでくれているみたいです。

数分でも一生の宝物になる。たった一言でも一生のお守りになる。時間の長さは問題じゃない。すべての命が使命を持って生まれてくるんだと思う。そして空へ旅立ってもなお、まだ誰かのために、生きたいと願う命もあるんだと、あなたたちに教えてもらいました…
そんなみんなを誇りに思う。そんなあなたのことが愛しくて愛しくて…
愛しすぎて　たまらないのです。

死から生まれるものは
苦しみや哀しみばかりだと
つい、思ってしまうけど…
嬉しいことや楽しいことも
生まれていいんだとボクは思う
死から生まれるやさしさや、死が
繋いでくれた新しい出会い。
そんなものを分かち合い
笑い、歩んでゆこう。
君と共に未来を生きる方法が
きっとまだある。
君がいる新しい思い出が
未来に待っている…必ず。

## 生きているとき以上に一緒にいてくれている

慎(しん)がお空に行ってSNSで【#天使ママ】の世界でつながった莉心(りこ)ちゃんママ。
わたしの発信をキャッチしてくださって、莉心ちゃんがつないでくれたご縁で、
326さんが、慎のイラストと詩を描いてくださったこと、今でも鮮明に覚えています。
本当に、夢なんじゃないかと信じられなかった。

青春時代に身も心も傷ついたときに、何度も救ってくれた326さん。
そんな326さんが、何もかもに絶望している……いや、
絶望なんて言葉より、もっともっと深く暗い、光なんて届かない、
一生抜け出せない迷路の中にいるようなわたしに、
反面、早くのこされた家族のためにも元のわたしに戻らなきゃと、何か焦って、
慎の事実からちょっと目を背けてしまっている最低なわたしに対して、
慎の言葉を代弁してくれているかのような詩を添えてくださって。
慎の気持ちにハッと気がつかせてくれて。
同時にみんなに気をつかわせてしまうから、
誰にも言えなかったこの気持ちを受け取ってもらったような気持ちになり。

イラストの慎はいつもすてきな表情をしていて、その笑顔を見ていたら、

新しい慎の表情を見ているようで、なんかわたしも力をもらって。
お空でも、こんなふうに笑っていてくれてるんかなぁと。

慎の容態が急変したときも、
本当に夢なんじゃないかって信じられなかった。
時間を巻き戻せたらと何度も何度も願って、
夢ならはやく覚めてほしくて。
泣いて、怒って、取り乱して。
人間の暗い感情がすべて襲ってきて。
でも現実で。
現実は毎日の積み重ねで、
いやでも受け入れられるようになって。
受け入れたくないのにね。
記憶もいやでも薄れてしまっているだろうし。

でも、慎はいつでもわたしの中では鮮明に生きていて、
生きているとき以上に一緒にいてくれているんじゃないかと思う。
慎が生きたかったであろう今日を、わたしは慎と一緒に生きたいと思う。
前向きに生きるというより、一緒に生きてくれてたらなぁ……なんて。

時の流れは一方通行でどんなに
願っても凄い速さで流れてしまう
立ち止まってしまったあなたとの
距離が離れてしまうのは哀しいけれど
あなたは消えてしまったのでなく、そこに
今も立っていて私たちにやさしく手を
ふってくれている　きっと…
だからかな　誰かと　お別れをする
たびに背中を押してくれている
手がふえているように感じるんだ
そう思うと、挫けそうな時、ツラい時、
寂しい時、そんな時こそあなたを
みんなを…近くに感じるのです

## ダブルレインボー

結菜(ゆいな)が産まれた翌日　大雨が降っていました。
わたしの家族（両親と弟）が病室に来てくれたとき、
病室からダブルレインボー（二重虹）が見えました。
主人が結菜に見せてあげようと抱っこしました。
家族みんなでダブルレインボーを眺めました。

しばらくしてからダブルレインボーの意味を調べました。

**『卒業』**＝あなたの中でひとつの人生のサイクルが終了するということを表しています。
今までがんばってきたことが報われて、次のステップに進むことができるというサインです。

**『祝福』**＝これからあなたに訪れるしあわせを天がお祝いしてくれているということです。
二重虹は、今までの努力が報われ次のステージに進むあなたの行く末には、
しあわせが待っているというサインです。

その頃、わたしは自分が我慢すれば、すべてうまくいくと自分の想いにフタをしていました。
「ママらしく生きていいんだよ」と言われているような気がしました。

パパが結菜に見せてあげたダブルレインボー。
本当は結菜がわたしたちに見せてくれたんだと思っています。

天使ママさんのブログやインスタを見ていたときに
３２６さんが天使ちゃんの絵を描いていることを知りました。

目をあけた結菜のお顔が見たいと思い、メッセージを送りました。
３２６さんのメールからは優しさがあふれていました。
すごく癒されました。
目をあけた結菜、メッセージ、すべてが宝物です。

わたしには初期流産の子もいます。
短い期間だったけど、わたしのお腹に来てくれた。
３２６さんに無理を言って碧叶（あおと）も描いていただきました。
ふたりのイラストがすごく元気をくれます♪
いつも見守ってくれています。

ふたりをイラストという形でこの世にのこしてくれて、
ありがとうございます。

このままじゃ
おわれない
いつかみんなで
「またね」って
わらって てをふる
そのひまで
だれひとり
かけることなく
げんきいっぱい いきてやる
まけるもんか

## 6年間の想い

のこり少ない学校生活を、
友だちと一緒にすごして卒業するはずだった。

でも、新型コロナウイルスによる緊急事態宣言で、
小学校が突然の休校になってしまって
友だちと会うこともできなくなった。

同じ中学校に進学する子は数人しかいないのに。
突然の別れ。
卒業式さえ、まともにできない状況。

卒業のメッセージカードさえも
用意できないまま……。

6年間かぶった黄色い帽子に込められた、
みんなからのメッセージ。

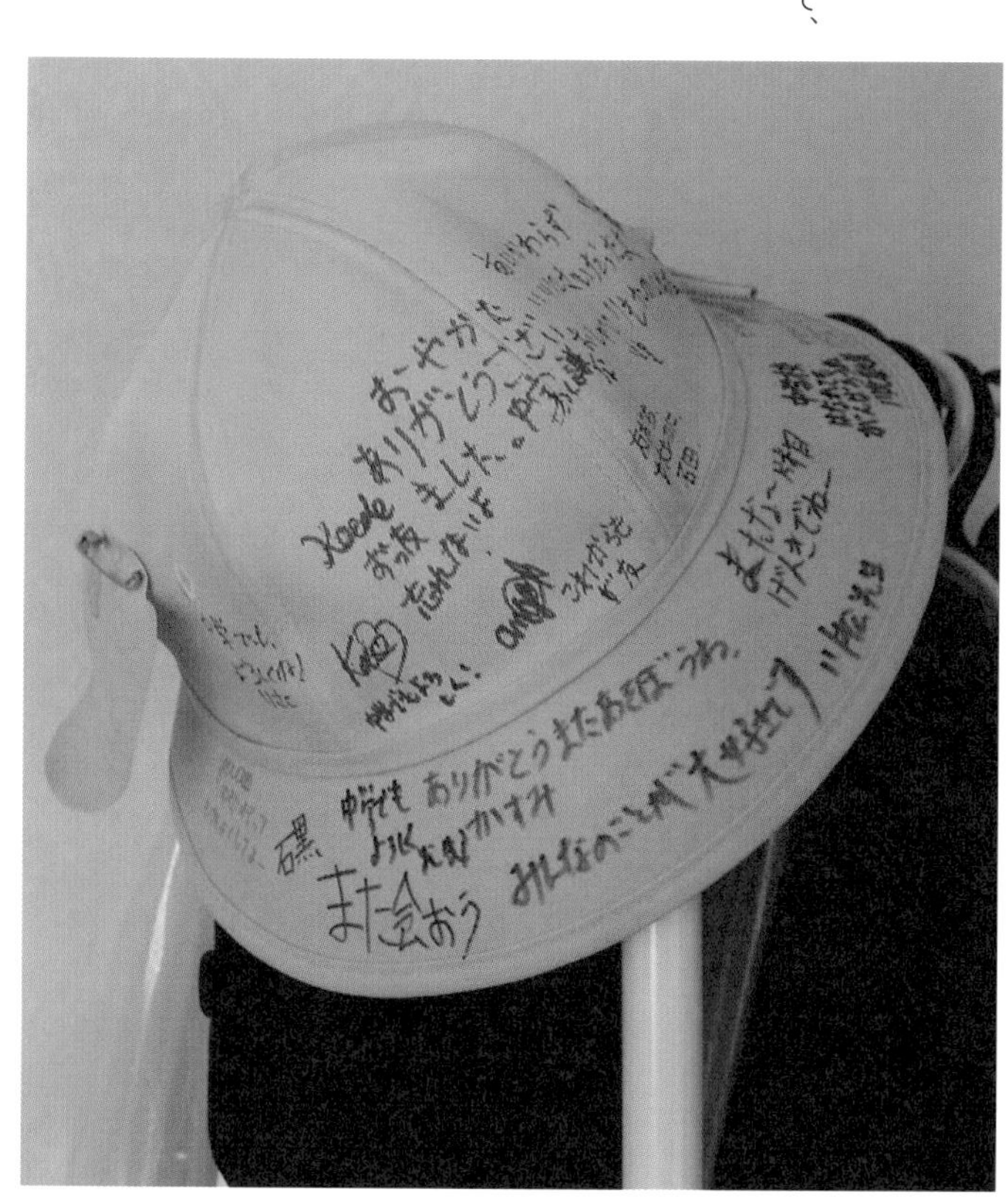

# パパはゆっちゃんのヒーローになれたかな

２０１３年の春、
うちに天使がやってきました。

妊娠28週、６４７グラムという小ささで、
生まれてこられる可能性はわずかと言われながらも、
一生懸命がんばって、闘って、
パパとママのもとに来てくれたのが優煌音（ゆきね）でした。

パパとママが生きてきた中で一番のしあわせで、
かけがえのない宝物です。

それからの月日は、
希望と光に包まれていて、
ただ一緒にいるだけで、
たくさんの素敵すぎる毎日を
優煌音はプレゼントしてくれました。

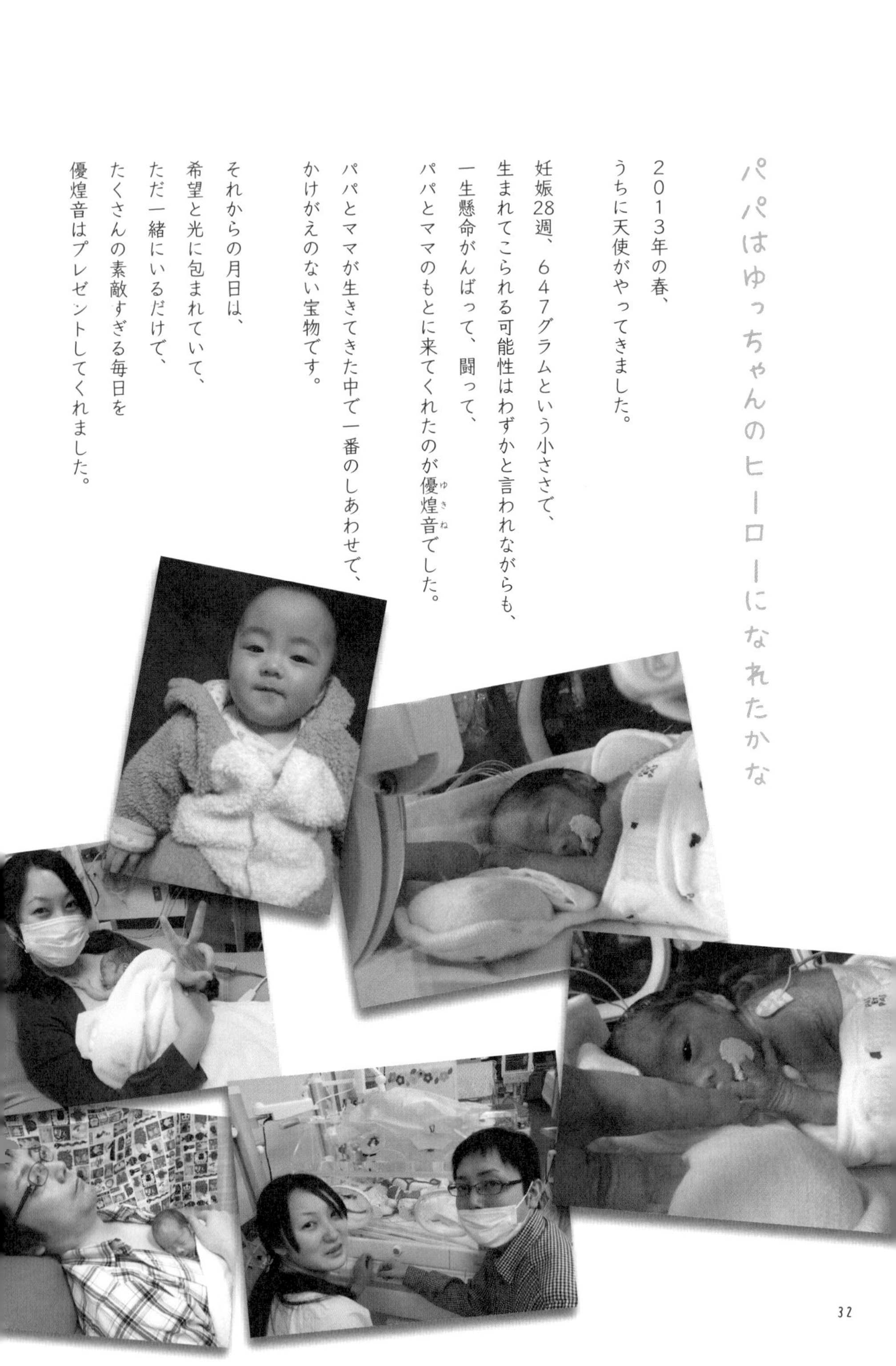

将来は、お花屋さんやYouTuber……
いろんな夢を持ってくれてたね。
YouTubeに動画もアップしたっけ。

君にいつか
「優煌音の
『優』は、誰よりも優しく、
『煌』は、キラキラしてほしく、
『音』は、ママみたいに音楽好きになってほしいって思って
名付けたんだよ～」って教えたら
「『煌』はキラキラ～！」ってとこだけ覚えていてくれたよね。

5歳のときには、
ずっと『お姉ちゃんになりたい』と言っていた夢も叶って、
とっても素敵なねぇねになりました。

ですが……そんな優煌音は、6歳の冬に、
手術できない脳幹部の腫瘍（グリオーマ）と診断されてしまいました……。

そこから残された人生はたったの10ヶ月で、
生き続けられる可能性はほぼ0％、

治った人のいない、とても怖い病気、
それが脳幹部の腫瘍（グリオーマ）でした。

絶望。悲しい。言葉で言い表せないほどのつらさ。

なんでパパじゃなくて優煌音なんだろう。
代わってほしい。

がんばってがんばってがんばって生まれてきたのに、
優煌音はしあわせにならなきゃならないはずなのに……なんで。

いつも『パパとママのもとに生まれてしあわせ～』と言ってくれる優煌音。
できる手はすべてやって
なんとか……なんとか……元気になってほしい。

ただひたすら奇跡を祈ってきましたが
7歳の冬……年が変わる2日前、
優煌音は僕たちをおいて
お空へと旅立ってしまいました……。

あんなにおしゃべりだった

時には少々うるさいくらいにおしゃべりだった君の声が……
今は聞けない君の声が……
今はとてつもなく愛おしくて。恋しくて。

送られてくることのなくなった
優煌音からのLINEのスタンプを、
何度も何度も見返します。

ゆっちゃん、
パパとたくさんデートしてくれてありがとう。
たくさんギューしてくれてありがとう。
寝てるときにぶちゅぶちゅしてるの、わかってるのに
寝たフリしてくれてありがとう。

パパはゆっちゃんのヒーローになれたかな?
僕たちは素敵なパパとママだったかな?

一緒にバージンロード歩きたかったなぁ……。

会いたくて会いたくて
すごく会いたいよ。

一緒に過ごせた時間は、
たったの7年でしたが、
それはわたしたちにとって、
かけがえのないギフトです。

空にいる優煌音に心配させることのないよう、
家族で支え合い、
一生懸命毎日を過ごしていきます。

……なんて言いつつも、
そんなキレイごと
本当はまったく思えません。
つらくてつらくて……。

でも、それでも、
優煌音がのこしてくれたものはなんだったか……考えてみました。

夏の終わり、
力尽きたセミを見かけて
『セミさん、がんばって元気になるんだよ〜』と声をかけてた姿

お菓子をもらったときに、
真っ先にみんなに分けてくれてた優しさ
車や洗濯機が壊れてバイバイするときに
大泣きしてたっけ……

ちっちゃな妹が振り回したスマホが
優煌音の顔に当たってケガしたときも、
ぜんぜん怒らずに
『いっちゃんはまだちっちゃくてしょうがないからね～。かわいいし』と
逆にナデナデしてあげていた……

ねぇ、ゆっちゃん。
ゆっちゃんのその優しさは
今しっかり妹の慈華（いつか）に受け継がれているよ。

妹の慈華は、
今でも『ねぇね、ねぇね』と言って、
お菓子なんかをもらったときは、真っ先に
ねぇねの遺影のところへ持っていくんだよ。

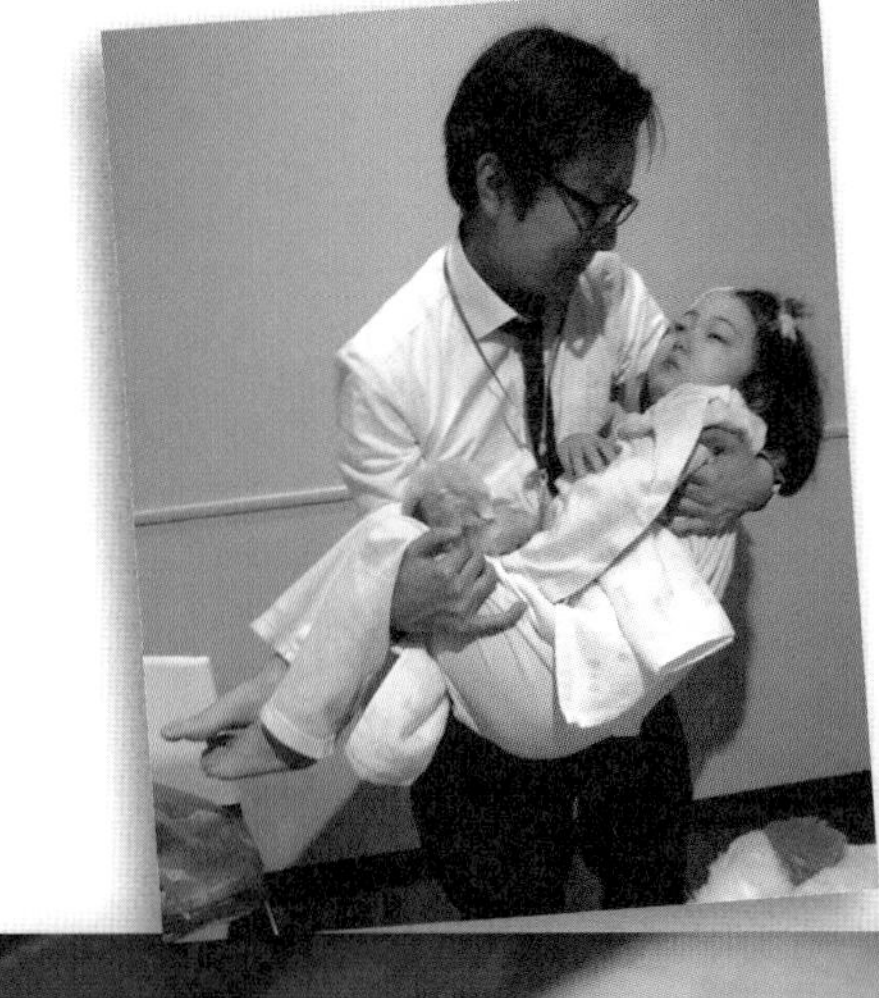

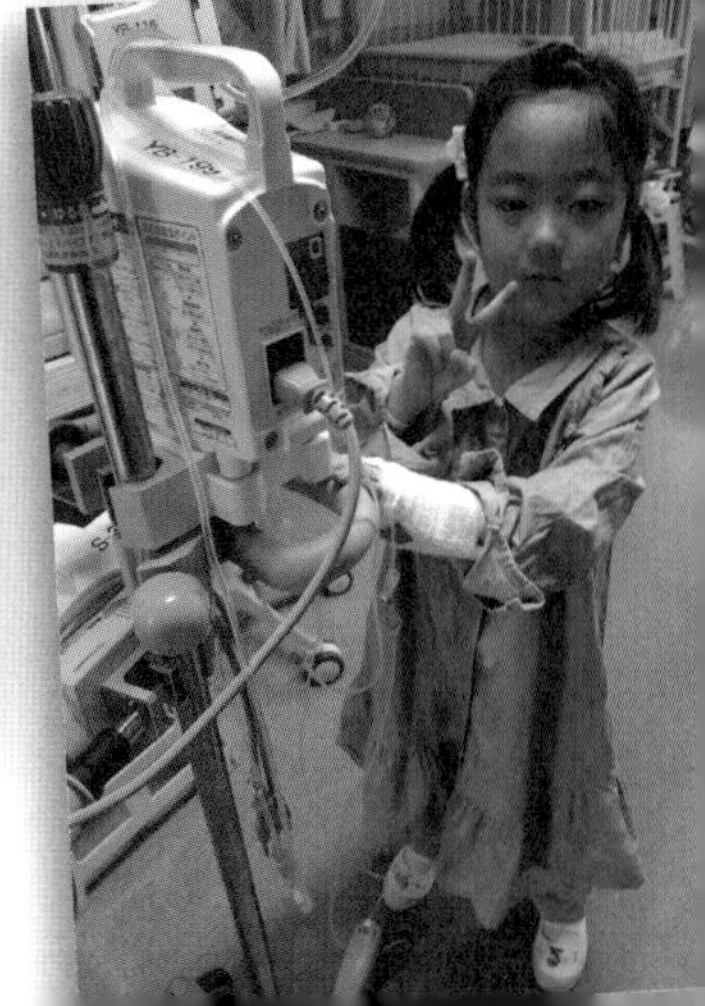

プラネタリウム＝大人500円、
200円、65歳以上250円（要証明書）、
無料
駐車場●95台（無料）ぱぱだいすきだよ
URL●http://sagamiharacitymuseum.jp/
個性豊かな生解説が
第2・4土曜は幼児向け
平塚市　平塚市博物館
その日に見える星たちを、個性
徴のある生解説で届けてくれます
曜の11:00は、幼児向けに「
を投影。番組詳細はWebで参

知らないうちに優煌音がパパの財布に隠していた
ラブレターです

優煌音が……ゆっちゃんがのこしてくれたものは
きっと
そのたくさんの優しさです。

キレイゴトなんていえるわけありません。
奇跡を信じて、やれること全部やったのに、
あなたは遠くへいってしまったんですから…。
それでもまだ
「誰かのために」と
動けるのは、
あなたがのこして
くれたのが、あなたが
教えてくれたのが、その大きな愛と
**たくさんのやさしさ**
だったから。いつまでも
ずっとず〜っとあなたのヒーローでいたいから。

# やさしいうそ

救急車で運ばれ、そのまま眠ったままの日々が続いた祖母。

「きっと聞こえてる」

そう信じていた僕は、眠る祖母に話しかけ続けた。


それから2週間後の２００１年7月19日、祖母は突然、目を覚ましてくれた。

「2週間ずーっと話しかけよったとよ？　ばってん、ばあちゃんぜんぜん返事してくれんけん寂しかった～」

と冗談まじりで伝えると、ばあちゃんはニコッと「全部聞こえてたよ」と言ってくれた。

それはうそだったかもしれないし、本当だったかもしれない。

それからいくつか言葉を交わし、5分くらいしたら、婆ちゃんはまた眠ってしまいました。

握ってる手から力が抜け、閉じた目からツーっと涙が流れ、唇が小さく5回動いた。

「ありがとう」と。

それに僕は「こっちこそよ……お疲れさま、ばあちゃん大好きよ」と伝えました。

そして、その日の夕方に祖母は旅立ちました。


さいごに会いにきてくれたあの奇跡のような5分間。

そして「全部聞こえてたよ」というあのやさしいうそは僕の宝物です。

あの時間と言葉は御守りになって今も僕を守ってくれています。

自分の人生の中でボクが自分を一番
ほめてあげたいことは大好きなばあちゃんの
最期の五分間、目を覚ましてくれたその
時に、ちゃんとそばにいれたこと
大好きな人の最期の瞬間を
独りぼっちにしなかったこと
あの時間がもしなかったら
きっとボクはもうがんばれなく
なってた…。小さい頃と何も
かわらんよ。ばあちゃんに
おんぶにだっこで、どーにか
こーにか生きてます（笑）

故郷とは、地名ではなく
思い出が生まれた場所のこと
私が帰りたい場所は
家（ハウス）ではなく家族（ホーム）の元

生きるのも死ぬのも
みんなのそばがいいなあ
自分が死ぬ瞬間はきっと
永く眠るだけって感じだと思うから
みんなの近くで「おやすみ」って
言って笑いながら眠りたいな
そしたらきっと幸せだろうな
他にはなんにもいらないな。

# おじいちゃんの想い

わたしには離れて暮らす祖父がいました。祖父は犬とふたり暮らしでしたが、病気で体調がおもわしくなってきたので一緒に住むことになり、我が家に越してきました。当時のわたしはまだ小学生で体調のことなどはよくわからず、ただ大好きなおじいちゃんと住めることが嬉しくて、早起きしては祖父の布団に潜り込んで一緒にいろいろお話をしていました。そのときに祖父が言ったんです。「いつかまたお墓の下でみんなで一緒になろうなぁ」と。幼いわたしはその言葉を深くは受け取らず、だからこそ祖父もわたしにだけそう言ったんだと思います。でも、今でもその言葉がずっと胸にのこっています。祖父はそのとき、自分にのこされている時間が短いと知っていたんだなぁと。

そして、いよいよ体調が悪くなって入院した祖父は、ずっと「家に帰りたい」と言っていたそうです。その願いも叶わず、天国へ旅立ってしまったのですが、家へ連れて帰り、布団に寝かせ、葬儀の準備でバタバタと、みんなが束の間はなれて戻ってくると、祖父が歯を出してにっこりと、ハッキリとした笑顔になっていたんです。連れて帰ってきたときは眠ったような顔だったのに。あぁ、おじいちゃん帰りたかったお家に帰れて嬉しかったんだなぁ……と思いました。

そして、祖父の1年後の命日の1週間ほど前、祖父が可愛がっていた愛犬が突然倒れました。つきっきりで様子を見ていると、起き上がることもできないのに、時折カッと目を見開いて、一点を見つめて走る動作をするんです。

今思えば、発作だったのかもしれないけれど、そのときのわたしたちは、おじいちゃんが大好きな愛犬を迎えにきて、愛犬も大好きなおじいちゃんに向かって必死に走っているように思いました。だって、苦しんでいるような顔ではなく、とても嬉しそうな顔をしていたから。そして、愛犬は祖父と同じ月、同じような時間帯にお空へ行きました。

おじいちゃんの想い、おじいちゃんの笑顔、ひとりぼっちの暮らしの中で寂しさを分け合ったおじいちゃんと愛犬の絆。わたしの中に祖父はいろんなものをのこしてくれました。

私の笑顔は　あなたの笑顔
ツラい時こそ　笑おうと
思わせてくれる
あなたからの贈り物
私が今
強くいられるのは
あなたがいっしょに
笑ってくれてるから
ひとりじゃないから。

# 親友がくれた笑顔

私は小学校6年生のときに大切な親友をなくしました。脳腫瘍でした。
別れはある日訪れ、なかなか受け止めることができませんでした。
まだ幼いながらに、生命のはかなさを痛感したことを今でも忘れません。
生きていくことは、楽しいことばかりじゃないけれど、
その子の笑顔の写真を見るたびに、「あぁ、がんばらなきゃ」と思わされます。
のこしてくれたモノは、笑顔です。

# 息子と赤ちゃんがわたしにのこしてくれた希望

わたしは3度流産の経験があり、今いる息子は体外受精で授かった子です。

3度の流産のうち、2度が子宮外妊娠でした。


1度目が結婚前に主人との間にできた子で、妊娠発覚後に多量の出血で自然流産と診断されました。

流産後に体調が良くならない状態で3週間ほど経った頃に、突然の腹痛と嘔吐で立っているのもやっとの状態になり、総合病院へ連れていってもらいました。そこで初めて、子宮外妊娠が発覚し、お腹の中で牛乳1本ちょっとの量は出血しているとのことで、緊急手術となり、左の卵管を全摘出しました。

それからは、ゆっくり妊活をしていたのですが、授かる気配もなく、不妊治療のクリニックを受診した結果、卵管が片方しかのこっていないことや体質的な問題で不妊症と診断されました。

治療をしていく中でさまざまな方法がありましたが、卵管が片方ないことを考えると体外受精がいちばん近道ということで、お金はかかりましたが主人のがんばりもあり体外受精へ進むことができました。

1度目の体外受精は着床したものの、途中で育つことができず、結果は初期流産。

4度目の体外受精で今現在1歳7ヶ月の息子を授かりました。

息子を無事に出産してからは、子育てでいっぱいいっぱいになって泣いてしまうこともありましたが、たくさん経験しながら授かった息子なので、本当に愛しくてたまりません。

そんな中、去年の12月に急に息子がわたしのお腹に執着するようになりました。離れようとするとグズグズするのです。

その数日前から、わたしはちょこちょこ出血していたので、生理がきたと思っていたのですが、あまりにもお腹から息子が離れないので「もしかして」と思い、妊娠検査薬を試しました。

結果は陽性で、可能性は低くても自然妊娠をあきらめたくないと思っていたわたしはすごく喜んだものです。

ただ、出血しているのが自分の中でひっかかっていたので、年末に受診した結果、2度目の子宮外妊娠でした。早期で発見できたこともあり、卵管は全摘出せずに一部切除でのこすことができました。

流産になり、悲しさもありましたが、息子が赤ちゃんと話して子宮外妊娠を教えてくれていたのかな？　という気持ちにもなりました。

もう少し発見が遅ければ、のこっていた卵管も全摘出になり、自然妊娠を望めない体になっていたかもしれません。

早期発見できたから、卵管をのこせて、今回の子宮外妊娠で、のこっていた右側の卵管にも疾患があるかもしれないということもわかりました。

しっかり治療すれば自然妊娠の可能性が上がると担当医に聞き、今回の赤ちゃんはもしかしたら右側にも疾患があることを教えてくれたのかな？　とも思いました。

今、わたしの体の中でのこっている右側の卵管は、息子と赤ちゃんがわたしにのこしてくれた希望なんだなって思っているんです。

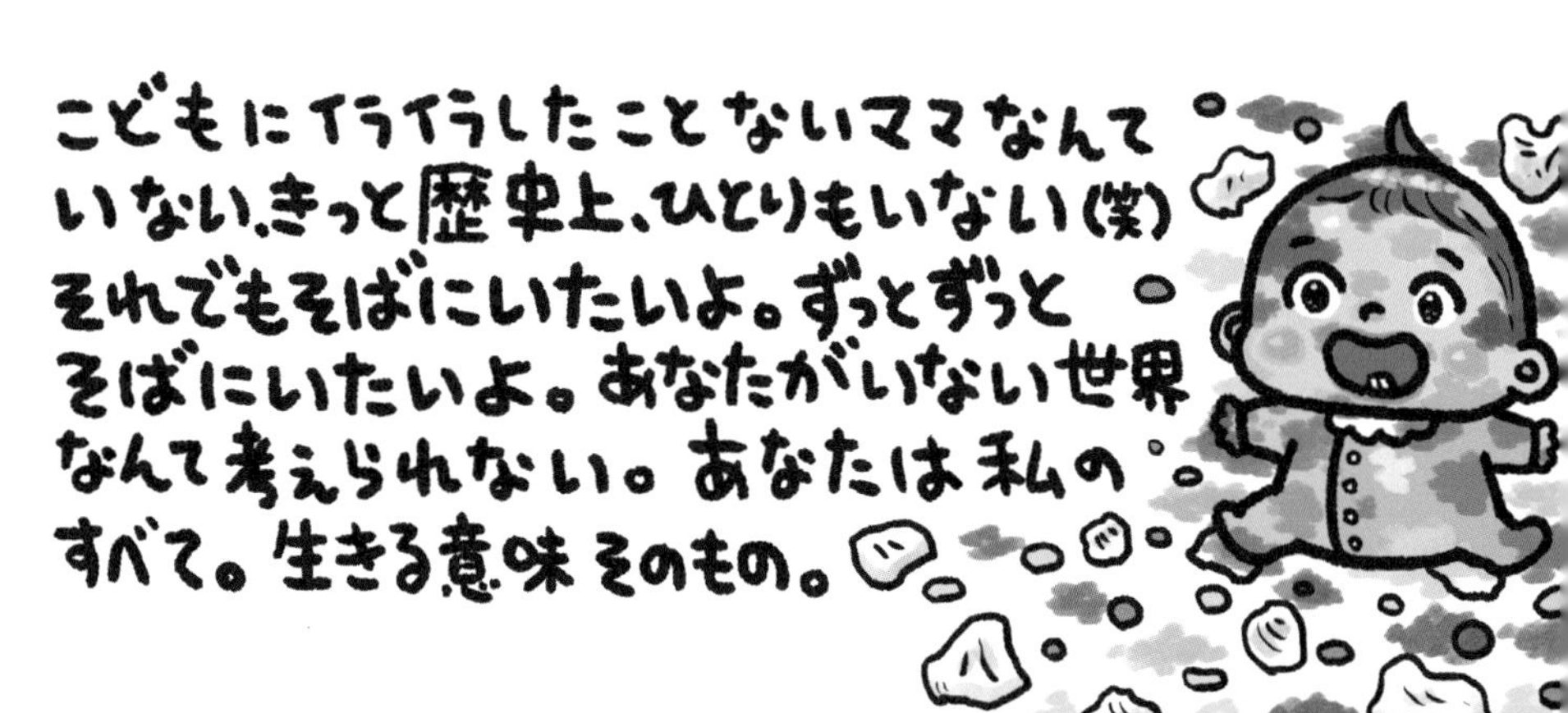

## ア・フュー・グッドメン

大学時代のことです。エラの張った団子っ鼻、ニキビの跡、剛毛が抑えきれず髪はつねに爆発、小太り。その容姿のせいでからかわれたり、いじめの対象になったりと、とにかく自分の外見が疎ましく、いつも下を見て歩いていました。

課題で一緒に暗室を使うことになった見知らぬ男子に「どうしていつも下を向いているの？ 前を向いていたほうが感じが良いよ。下向いてると暗く見えるし」と突然言われ、「え？ この人わたしのこと知ってんの？」と驚いていると「彼氏はいるのか」などと話を重ねてきます。「へ〜！ 彼氏つくったことないんだ。じゃあ、これからなんでも初体験だ。初めてを一緒に体験できて相手も喜ぶよ」などと、友だち同士でしかしないような話を続けてきます。そして妙に「いいヤツ」。

次の日、教室に行くと、なんと！ 昨日の暗室で会った男子が同じ教室にいました。わたしが下ばかり見ていたので、クラスメートの顔を把握していなかったんですね。その日からは、下を向くのをやめました。わたしは、暗室でのアドバイスのようなものを、勝手に「前向けるもんなら向いてみろ！」という挑発のようにとらえていたんだと思います。

その年の夏休み、その男子は亡くなりました。トラックにひかれて即死でした。

葬儀会場で、彼の両親、彼女、友だちが泣いていて、絵に描いたような「たくさんの人に慕われていた人」の葬儀でした。「ア・フュー・グッドメン」で「いいヤツは早く死ぬ」というセリフがあったけれど、本当にその通りだなぁ、なんでわたしに声をかけたんだろう……そういえばよく知りもしない子の家に葬儀のために来ているのって不思議……など、とりとめのないことを鯨幕を見ながら考えていました。

今でも自分の容姿は嫌いだし、下を向きそうになることがあるけれど、そのたびに「下を向いたら絶対あいつは許さないだろう」と思うことも。気のいい穏やかな人だったので、気まぐれに声をかけたクラスメートが自分の言ったことを守らなくても何も思わないとわかっているのだけれど、25年間、前を向くための理由にさせてもらっています。ありがとう！

太陽のようなキミの笑顔が、その
言葉が、私が私でいいんだって
教えてくれた。あの日のことが
なかったら私は私のことを好きに
なれなかったかもしれない…。
おぼえていますか？
元気ですか？
私は元気です。

キミのキズは、
キミが生きた勲章
キミがキミであるという
強いあかし。私は
それが好き。大好き。
夜に月がキレイなように…
雨でカサがさせるように。
今だからこそできるコトを
たのしもう。キミなら
きっとそうしてくれる
ハズだから…。
キミがおしえて
くれたこと。

# 兄妹で笑いあったシャボン玉

娘は26週くらいで、破水からの帝王切開で生まれました。体重は、810グラムでした。4か月間、集中治療室の保育器で育つ中、なんとか命をつなぎとめました。2歳のときに風邪をこじらせ、気管切開をして、ノドから息をするという状態になってしまいました。

地元の病院では、「手術しても中学校くらいまでは声は出ません」と言われてしまい、いろいろ調べて神戸に専門医を見つけ、入退院を繰り返しました。

気管切開をしたあとは、息がノドから出ちゃうので、声が出ないんですが、いちばん悲しかったのは、お兄ちゃんとシャボン玉をしようと、ストローを吹いても、息がノドから出て、何回吹いてもシャボンが膨らまなかったことですね。

我々からすると、かわいそうだなと勝手に思っちゃうんですが、子どもたちは悲しそうでもなく、笑っているんです。お兄ちゃんも一緒に、「なんで膨らまないんだ～」って、その場が笑いに包まれたんですよね。

保育園の年中、4歳のときに、ノドの手術が成功。

そして、昨年、先天性の心臓の疾患手術が無事に成功して、この春から普通に小学校に通えるようになりました。

子ども病院通いが長かったので、本当にたくさんの子どもたちが重い病気と闘っていることを知り、普通の生活を送れるっていうことは、当たり前じゃないんだなと理解できるようになりました。

はたから見るとうちの子も相当重たい病状にうつると思うのですが、やはり病気をお持ちの子を持つ親御さんの心労は人それぞれ。どのケースでも計り知れないものだと思います。

あなたがのこしてくれたものが今も私の中に生きている。ううん。私が生きていること自体がもうきっとあなたが、のこしてくれたもの。だって私という命は二人の、愛の結晶なんだから。私さえそれを忘れなければそれでいい。何もかわらずこれからも二人のことを愛しているから。

# 認知症の父と母がくれた思い出

わたしの父も母も癌という病気で亡くなりました。
さいごまで父の中では、３歳。
母の中ではわたしは娘ではなくなっていました。
２人とも認知症も併発していたのです。

でも、父も母も、たくさんの思い出をのこしてくれました。
料理の仕方、味付け、人を守り優しくすること。

娘にも会わせてあげたかったけど、残念ながら会わせてあげられなかった。
だから、お墓参りに行くたびに、こんなに大きくなったよって言っています。

思い出が今、わたしにとって、大切なものであり、できごとが大切なことです。

ぜんぶ わかってて とびこんできて
くれたんじゃないかな？
ママのおなかのなかのかんしょくたのしんで
ママといっこの命 よろこんで
「よーし れんしゅうおわり〜」って
わらいながら いっかい
もどっただけだとおもう。
あなたが「かえってきてね」って
願いつづけてくれるなら、
きっとまた かならず 帰ってきてくれるはずだよ。
だって、その子が帰る場所は お空ではなく
あなたの おなかの中 だから。

## 六花（りっか）が教えてくれたこと

当たり前は当たり前なんかじゃない。
普通ということがどれだけ難しいことで
どれだけしあわせなことなのか。
何でもない日々が本当にしあわせだったこと。

六花（りっか）がお腹にいた10ヶ月
短い命で、小さな体で
そんな大切なことを伝えて
家族をひとつにしてくれました。

六花は2019年11月8日、
妊娠10ヶ月のときに子宮内胎児死亡で突然お空へ旅立ちました。
産まれてきたときはへその緒が首に3重巻になっていました。
12月頭が出産予定日だったので、冬らしい名前をつけて、
お腹にいる頃から六花と呼んでいました。

わたしが六花が亡くなったのは自分のせいだと責めているとき、

326さんが胎内記憶を持った子たちが言ってたことを教えてくださり、
赤ちゃんたちは誰かのせいで自分が死んだとは思わないということ、
「ありがとう」とか「またあいたいな」などのポジティブなことしか考えないということ、
そして、あまりにもパパとママを好きになっちゃった子はずっとそばで見守るか、
またすぐに同じママのお腹に入っちゃうことなどを話してくださいました。
あと、326さんとお兄さんの間に流産してしまったお子さんがいたこと。
それは自分だったんじゃないか、そうとしか思えないという話などを
聞かせていただきました。

そして、その年のクリスマスの朝に、
六花から頼まれたクリスマスプレゼントだよと
六花の似顔絵が326さんから送られてきました。
目が開いたかわいいかわいい六花の姿は不思議と家族みんなに似てて
びっくりしたのを覚えています。

さらに、2020年8月に326さんが描いた六花のイラストを形にした
人形が送られてきて、嬉しくて泣きました。
それからは、ずっとどこに行くにも六花と一緒です。

わたしたちは子持ちのシングルファザーとシングルマザーで再婚だったので
子ども同士もお互いの子どもと自分は血のつながりはないけど、
そんな別々の家族をひとつにつないだのは六花です。

同じ感情（かなしみ）を共有
することで
こころがひとつに
なることもある。
みんなで
まってるよ。
あなたが
ひとつにしてくれた
わたしたちで。

言葉にするのが照れ臭かった
昔のお父さんたちは
家を 家族を守るため
外に出て 戦って戦って稼いで
愛する人の寝顔しか
見れなくっても戦って
たたかって たたかって…
お金や 物でしか愛を
伝えられない不器用さで
黙って家族を守ってくれました
そんな生き方のカッコよさが
今ならやっとわかるのです

## さいごのおこづかい

僕の祖父は今、僕が勤めている会社を創業した人です。僕にとっては物静かな祖父であり、あまり話した経験はありません。しかし、影から見守っていてくれたようで、僕が高校時代に野球をやっていたのですが、試合を僕には言わずに見にきてくれていたようです。

そんな祖父は、すい臓がんで亡くなりました。すい臓がんが見つかったとき、余命3カ月と言われたそうです。

当時、僕は大学生で、千葉でひとり暮らしをしていたのですが、母から「さいごにおじいちゃんに会っておきなさい」と言われ、会いにいきました。事前に「すでにすい臓がんが進行していて、意識がもうろうとしているから、会いにいっても孫だとわからないと思う」と聞いていました。

会いにいくと、祖父は病院のベッドで寝ていました。しばらくすると起き上がり、僕の顔を見ました。

そして、いつもの通り、何も話すことなくベッドから起き上がり、ゴソゴソとカバンの中を探していました。

祖父が取り出したのは自分の財布で、そこからおこづかいをくれました。しかも、笑顔で。

祖母は「孫の顔はわかるんだね」と笑っていました。

その物静かで僕の顔を見てほほ笑む姿はいつもと変わらず「もうろうとしている」印象はまったく受けませんでした。

その後、数日で、祖父は亡くなり、このときのやり取りがさいごとなりました。

これは今、思うことですが、このおこづかいは祖父が立ち上げた会社で必死にがんばってきたから渡せるものです。また、意識がもうろうとして体もつらいはずなのに、そんなそぶりも見せずに笑顔で渡す祖父の強さは尊いものでした。

その祖父の想いを父が継ぎ、今は僕が継いでいます。その想いを次につなげるためにまた、その想いの元に集まったメンバーを導くために突き進む。そう思えるようになったきっかけです。

何てことない道具や場所
風景なんかにも
キミがいる。
遠くはなれた
からこそ
よく見える
ことだって
あるよ。
遠くにいった
キミを今も
ずっと近くに感じられるから。

# 幼馴染の友人がのこしてくれた青いタオル

小学校からの幼馴染で、同じ苗字がクラスに3人いたから、先生に指されると同時に手をあげていつも笑いが起きていた。中学も高校も部活動までずっと一緒に過ごしていた、親戚関係でもある友人が突然、40代の若さで、4人の子どもをのこし、この世を去ってしまった。

青天の霹靂とはこういうものなのかと初めて知る。

通常の糖尿病とは異なる「劇症1型糖尿病」という病症も初めて知った。

御遺族の話では、判明して2週間も経たず、倒れてから一度も目を覚ますことなく亡くなってしまったという。

人生の儚さ、不条理さを突きつけられるとともに、自分もいつ亡くなってもいいように今を生きなければと思わされた。

葬儀を終えたあと、すべての人に送られたであろう香典返しの返礼品のひとつは、今どきの吸水性がすごく高いちょうどよい大きさのスポーツタオル。

この大きさが好きで、運動部の頃はよく使っていたことも思い出される。

普通の人にとってはきっとただの便利なタオル。

でも、自分がそれを使うと、運動部でのきつかった思い出や、自分とは正反対で底抜けに明るく、面白く、コミュニケーション力の塊のような愛されキャラで、常にまわりを賑やかにさせる存在への嫉妬心のようなもの、ただ単純に遊んでいて楽しかった日々のことが、それこそ走馬灯のように駆け巡る。

きっとこれからも、この青いタオルがボロボロになるまで、常に新鮮な思い出として記憶が蘇り続けるのだと思う。

# 笑顔のチカラ

小学5年生の夏休み目前、緋菜(ひな)は突然空へと旅立ちました。
急な発熱から5日間……あたりまえにあった日常が一変しました。

『緋菜は人の笑顔が大好きです。笑顔の集まる場所が大好きです。
勝手なお願いではありますが、
どうか笑顔で見送ってやってください。
そしてどうか緋菜の笑顔を忘れないでいてください』
なにも理解できないまま立った喪主挨拶。
まだ小学4年生だった璃空(りく)に支えられながら、最後にこう言いました。
「笑えるわけないやんかー!」
出棺のとき、どこからかそんな声も聞こえてきました。
ほんとに勝手なお願いをしました。
だけど、どうしても伝えたい言葉でした。

誰かがふいに、
緋菜を想ってくれるとき、緋菜の話をしてくれるとき……
そこは緋菜が大好きな笑顔であふれていてほしいから。

人生は一方通行で勝手に
前に進んで行くもの。その流れが
はやすぎてツラくなるのは、ふつう
なことだし、立ち止まるのは決して
わるいことじゃない。
あなたが彼女にあいたくなる
時は、きっと彼女もあいたくて
泣いている。思い出していっしょに
泣いて同じきもちになることは
わるいことじゃない。
「おなじきもちになるということは
こころがひとつになるということ」
その時ふたりはいっしょにいる。
少し心があたたかくなったなら
それは彼女の命の光(ぬくもり)だよ。
あなたの中に
いつだって
彼女は、いる。
目をつぶって
ごらん。ほら
あえたでしょ?

だから、笑うことを忘れたくはないし、璃空にも笑うことを忘れてほしくない。
その想いは、今もずっと変わっていません。

発達障がいという名のモノを生まれ持ち、言葉を発しなかった緋菜。
その分、すべてが表情に込められていました。
特に緋菜の笑顔はとびきり素敵で最強で……
異国の方とも、
時には動物（特に奈良公園の鹿ちゃん）とも
意志疎通ができる笑顔でした。
その笑顔にいつも癒され、救われ、愛をもらいました。

緋菜に会いたくてたまらなくて
今も……きっと、これからも
いっぱい泣いてしまうけど。
いっぱい泣いたあとには、
緋菜が大好きな笑顔でゆっくりゆっくり
歩いていこうと思っています。

ママも璃空も緋菜の笑顔、忘れないよ。
笑顔のチカラ、教えてくれてありがとう。
愛してるよ。ずっと。

私は時々笑い方を忘れてしまうから
そういう時は、あなたの顔を
思いうかべるようにしてるんだ。だって
思い出のあなたは、
いつだって
最強の笑顔で
笑いかけてくれるから
私もつい、つられて笑っ
ちゃうんだ(笑)あの頃も今も、お母さん、あなたに
助けられてばっかりだね(笑)ありがとう
これからもたよりにしてるからね(笑)

私に親指は、ないかもしれない
けれど、私にしかない
祖母指が、
そこにある。
誰より近くで
私を応援してくれて
いる大好きな人の
存在（ぬくもり）をいつも今も
感じて生きている。

# わたしの右手にいてくれるおばあちゃん

私は7歳のときに右手にケガをして、親指がありません。
大好きだった母方のおばあちゃんが会うたびに
「ばあちゃんの指だったらどれだけでもやるのに……」と言ってくれていて、
でも、当時のわたしは
「そんな毎回言わなくてもいいのに……しんどいのはわたしなのに……」と思っていました。

おばあちゃんが亡くなって数年後、わたしにも息子が生まれ、
おばあちゃんの気持ちが少しだけわかるようになりました。
息子がつらい思いをするなら、わたしが肩代わりしたいと切に思います。
本当につらい思いをさせてしまったんだなぁという気持ちと、
それだけ愛してくれてたんだなぁという気持ちを
自分の右手を見るたびに思い出します。
気を抜くと泣けてしまうのです。
ほかの人から見たら他愛ない会話かもしれませんが、このことでなんだか
わたしの右手におばあちゃんが一緒にいてくれている気がしています。
これがわたしのおばあちゃんがくれたさいごのものです。

言う方にとっては「ごめんね」でも
「ありがとう」でも良い時って
実は 結構、多くって
だったら、どうせなら、
「ありがとう」って言ってほしいな
ごめんねっていわれて
しょんぼりしてるこどもと
ありがとうって言われて
「おったあ」ってジャンプしてる
こどもならやっぱり
後者を みたいから
ありがとう ありがとう ありがとう
またおいで まってるよ。

## ごめんねじゃなくてありがとう

わたしは8週で稽留流産と診断され、お腹の赤ちゃんとバイバイしました。

初めての妊娠。夫の理解の無さ。毎日のような夫婦喧嘩。冬なのに家を飛び出したりしました。

それまでつわりですごくきつかったのに、ある日、ピタッと吐き気がおさまって。

母親の勘ですかね。お空にかえってしまったなぁ……と。

入院してお腹から赤ちゃんを取り出したんですが、病室でずっとずっとごめんね、ごめんねって謝ってました。

今、思えば「ごめんねじゃなくてお腹にきてくれてありがとう」「ちょっとの間だけど一緒にいてくれてありがとう」、
そう伝えれば良かったと思っています。

だから、悲しい思いをしてるお母さんは、
赤ちゃんにはごめんねじゃなくて、いっぱいいっぱいありがとうを伝えてあげてほしいです。
自分にも言い聞かせていますが、自分を責めたら赤ちゃんが「お腹に行かない方がよかった?」って思うんじゃないかって。
だから、「お母さんはいつでも待ってるよ」「会いたくて仕方がないよ」「ぎゅーって抱っこしたいよ」と
心の中で繰り返しています。

今頃、お空でわんぱくに遊んでるかな?

ときどき、空を見上げては思います。

まだ、ベビーカーを見たら胸がチクッと痛むけど……

赤ちゃんは、みんな
命がけで私たちに
会いにきてくれている
だったら私たちも
命がけで愛さないとね
命がけで生きないとね
あなたとすごせた一瞬は
私の一生を支えてくれる心の杖。
私が私を好きになれたのは
あなたが選んでくれた私だから。

## 会いにきてくれて、愛をくれたこと

愛する娘、楓（かえで）がわたしに残してくれたもの……
それは、時間と命の大切さを教えてくれたことと、
「時は無常」ということ。
あたりまえのことなんて何ひとつないから、
一瞬一瞬を大切に生きていかなきゃいけないってこと。

そして、なにより、13トリソミーという染色体異常と
たくさんの病気をかかえながらも
元気な産声を聞かせてくれたことと、
たった3日しかこの世では一緒に居られなかったけど、
命懸けで会いにきてくれて、愛をくれたこと。

生まれてきてくれてありがとう。みんな
を幸せにしてくれてありがとう。
おつかれさま。よくがんばったね。エライぞ。
またきてね
ゆっくりで
いいからね。みんなまってるよ。みんな
楓のコトがだいすきだよ。おつかれさま。
かぞくになってくれてありがとね❤

昔の男の人たちはどうも
ほめるのや愛情表現が
あんまり上手じゃなかったらしいね(笑)
でもその不器用さ故に
それがこぼれて見えた時は
よけいにうれしく、愛しく
かんじてしまうのです
それはそれでとっても
素敵だと、今ならちょっと
思えるのです。

# 父がのこしたキーケース

これは、わたしが精神科に入院していたときに、
治療の一環で革細工で初めてつくったキーケースです。
それを父にあげました。
もう20年以上前のことになります。

一昨年、父が亡くなって、
父は交通事故の後遺症で亡くなったんですが、
遺品の中に、つくったわたしすら覚えてないような
このキーケースがありました。

なんか、最初はわたしがあげたんですが、父がずっと使っててくれたことは知らなくて。
ずっと持っててくれていたんだなって思ったら、父が愛しくなりました。

わたしの父は、昔ながらの昭和の男で、
褒めたりとか愛情表現したりとかはしてくれない人だったので、
亡くなってから初めて父の愛の深さを知りました。

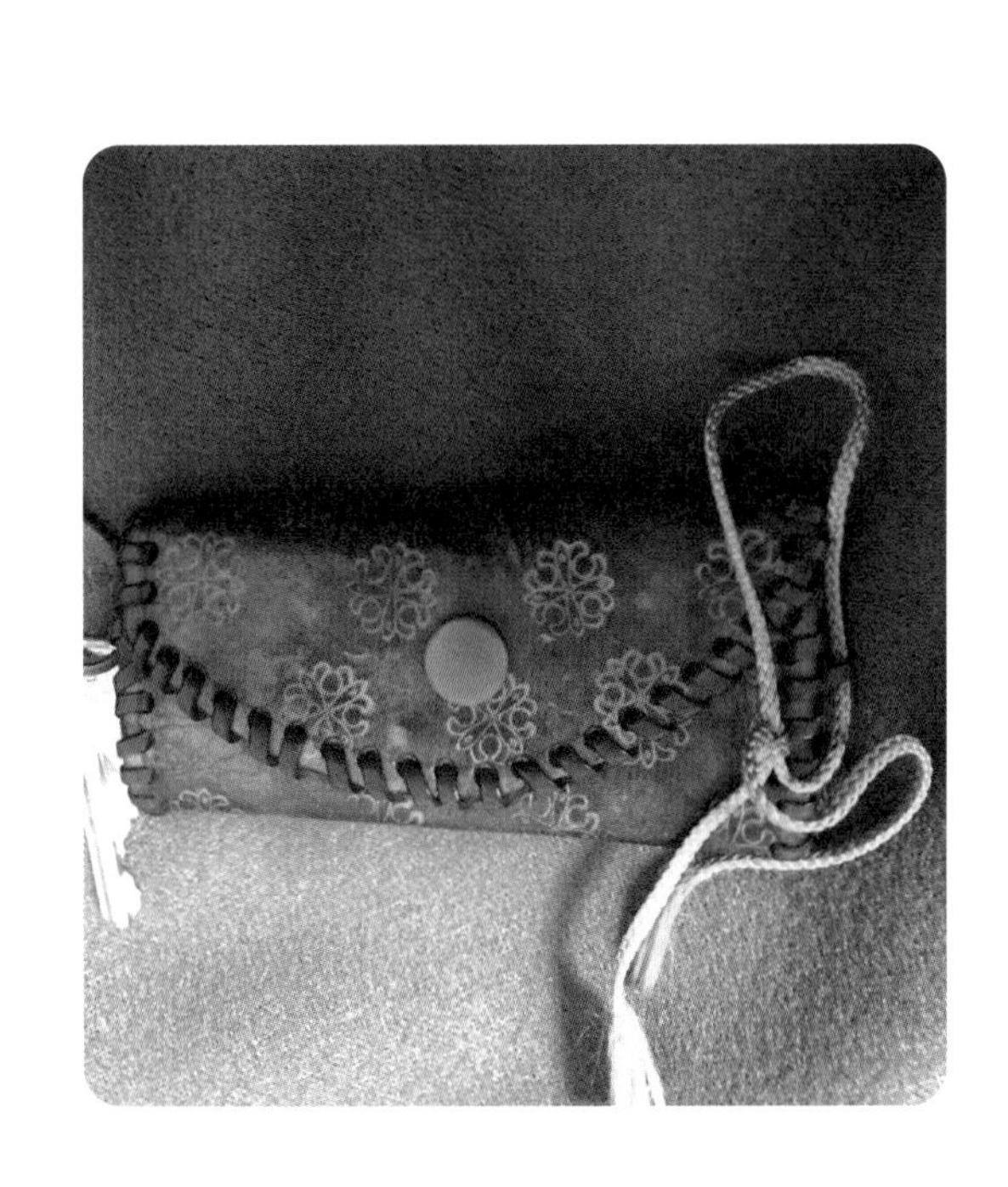

すべてのことには大抵
理由がある。
父ちゃんの写真が
少ないのは
そんだけ写真を
撮ってくれてたから
そんな照れ屋で
家族想いな父ちゃんの
すごさが今頃ますます
身に染みるのです。
僕の尊敬する人は
やっぱり今も父ちゃんです。

# 自分が写っていない家族写真

父が他界して十年。
古い写真の整理をしていたら
父の写真だけが異常に少ないことに気づいた。
その理由は当然で
父が写真を撮ってくれていたから。

口下手な父の深い愛情を知った。

君が悲しくないように
君がさみしくないように
今日だけは特別に
願いを叶えてあげましょう。
私がいなくなったからって
立ち止まっちゃダメだからね
そんなコトは望んで
なんかないんだから。
笑ってる君が
大好きだよ。

# インディがさいごにのこしてくれたもの

実家で10年一緒にすごしたインディ。
シャイな猫で、触らせてくれることはほとんどなく、
カメラを向けるとサッと逃げていく。
たくさん写真を撮ったが、ちゃんと写っていないものばかりだった。
そんな甘えべたな猫だったが大切な家族だった。

ある日、窓の前にちょこんと座って外をずっと眺めていたインディ。
その日は、おとなしく触らせてくれて、写真も撮らせてくれた。
ようやくいい写真も撮れて、大満足のわたし。

でも、それから1週間後。
突然の病死でお別れをすることになってしまった。
さいごにのこった1枚の写真……。凛とした姿のインディ。

別れの時を感じていたのだろうか。
あなたのことは一生忘れないよ。

選ばなかった道がどんな景色だったか
なんてどんな人にもわからない。
でもね思ったんだ。
己(わたし)と己(あなた)が共(いっしょ)に
選んだ道ならば
その選択(コタエ)に不正解なんて
ないんだって。
きっとあの子もニコッと
笑いながら「いいよ」って
いってくれるはずだから

# 母になる覚悟をくれた娘

わたしは妊娠6ヶ月目にして娘（日向子）を人工死産しました。

重度の横隔膜ヘルニアと心臓の合併症が見つかり、生まれても生きられない宣告を受けました。

日本で最も有名な病院をいくつもまわりましたが、どの医師からも生存が難しいと言われ、
絶望したわたしは初めて病院で泣きました。

どちらを選んでも地獄という選択を迫られ、わたしたち夫婦には子どもがなく、
高齢であることから次の妊娠のためにもあきらめる選択をしました。

その後、不妊治療を開始しましたがなかなか授かることができず、
1年後、日向子の命日を迎えようとしているとき妊娠がわかりました。

日向子が連れてきてくれた……

そう感じました。

今お腹にいるこの子も初期の頃に浮腫を指摘され、
再び絶望的な不安がよぎりましたが、1年前のわたしとは違いました。

たとえ短い命だったとしても、この子が全うするまでわたしはがんばると覚悟を決めていました。

わたしたちの選択が正しかったのかは、たぶん一生わかりません。

でも日向子のことがあったから、わたしは強くなれました。

姿はなくてもわたしたちはずっと家族です。

いつか4人家族になったわたしたちを326さんに描いてもらいたいな。

# 弟が教えてくれた夢と生きがい

7つ違いの弟、隆文は脳性麻痺で産まれ、座ることも話すこともできませんでした。

その弟が、わたしに理学療法士という仕事を教えてくれました。

隆文がリハビリに通っていたことをきっかけに、わたしは小4のときには理学療法士になりたいと思いました。

それからは、小、中、高と理学療法士を目指して勉強を続け、無事に理学療法士養成校（専門学校）に入学。

途中でグレて道を踏み外しかけたりもしましたが（笑）、
理学療法士になり弟のように身体の不自由な人のリハビリをしたい！　という夢はぶれることなく、がんばっていました。

そんな専門学校2年生、弟が中1だったとき、突然、本当に突然、夕飯中に弟の心臓が止まってしまいました。

あと2年経てば、国家試験を受けて理学療法士になれたのに、まさかその姿を見せることができないなんて。

「理学療法士になったら隆文のこと毎日たくさんリハビリしてあげるわ！」なんて言って、
隆文が死ぬなんて考えたこともありませんでした。

脳性麻痺ではありましたが、風邪も引かず元気だったので、こんな早く別れが来るなんて夢にも思いませんでした。


それからは、真面目に勉強して国家資格を取得。理学療法士になりました。

今は高齢者の方を中心にリハビリを行なっていますが、隆文の同級生の障がい児さんたちとは、年に1回ほど会っています。

みんなもう20代後半、隆文は生きていたらどんな青年、中年になっただろうかと考えます
わたしは今、この仕事が誇りであり、生きがいです。

隆文が、わたしに、生きる理由と夢と生きがいと素敵な出会いをたくさんくれました。

わたしにも息子が生まれ、弟は叔父さんになりました。

今年他界した父とお酒でも飲みながら、息子のしあわせを願って見てくれているかなーと考えています。

少しだけ、息子を弟の生まれ変わりのように感じています。

３２６さんの描いてくれた弟の乗り物が歩行器のようで、上の弟（わたしの1個下の弟）とかわいいかわいいと話しました。

歩くことはできない弟でしたが、歩行器を使い、必死に足を前に振り出していた姿は忘れられません。

あの歩行器で天国で走り回っていたらいいな。

父ちゃんとじいちゃんが そろって得意だった絵
いつのまにかそれが自分の夢になっていました。
夢を叶えた姿を見てもらうことはできません
でしたが…きっと空から見てくれていたんだと
そう信じています。本音を言うと本人の口から
ほめてもらいたかったですが口下手な父ちゃんや
じいちゃんのことですから例え生きてたとしても、
ほめてくれなかったかもしれませんが(笑) とはいえ
夢を見させてくれたこと 夢を見つけてくれたこと、
そのすべてに感謝しかありません。ありがとう。

ヨダレのあと
↓

いっしょにいる時間が
幸せすぎたから

まってる時間も幸せでした。
あなたと出会ってからの私は
どんな時も幸せでした。
私をみつけてくれて ありがとう。
私を家族にしてくれて ありがとう。

## よだれが垂れたあと

当時保健所の隣で勤務していたわたしは（おこがましいのですが）一匹でも命を救うことができたらと思い、生後3か月ほどだったミックス犬を引き取りました。

しかし、3年ほど前の夏に15年の生涯を終えました。元々持病があったのですが、もっとちゃんと変化に気付いてあげられれば生きられたのに……と、今でも後悔しています。

亡くなって家の中は寂しさでいっぱいでした。母はわたし以上にワンコを溺愛していたので、その悲しみはひとしおでした。

初七日の日、気分転換に母を外へ連れ出し、帰宅したときのことです。わたしのベットにワンコのよだれが垂れたあとがあったのです。

ワンコはよくわたしたちが出かけると、外がよく見える位置にあるわたしのベットの上で、行儀よくお座りをして帰りを待っていました。待っている間は、きっと何時間もそこでよだれを垂らしていたんだと思います。もちろん、ワンコの姿もなく、声も聞こえません。普通に考えると、そこによだれがあるなんて考えられません。でも、間違いなくあったんです（当時の写真もとってあります）。

その後は、一度もよだれが垂れたあとを見ることはありませんでした。きっと上（天国）に上がってしまったんだと思います。さいごに何かわたしたちの目に見える形で思いを伝えたかったのかもしれません。

それが何だったのかはわかりませんが、「ありがとう」や「バイバイ」などのそういう思いだったら嬉しいなぁと思います。

## 大好きだよ。愛してるよ。ずーっと一緒にいようね。

心々(ここ)は我が家の第四子の三女として元気に生まれてきてくれました。
1ヶ月、4ヶ月、10ヶ月、1歳6ヶ月検診、すべて健康に終わりました。
次女の乃々(のの)と長男の諒(りょう)と3人で保育所に通っていました。

最初に異変を感じたのは平成29年1月17日でした。
まだ2歳6か月の心々が「足が痛い、病院に行きたい」と言い始めました。
近くの小児科に連れていくと、「おなかのエコーで何かがある」と言われ、
大きな病院に検査に行きました。
そこで告げられた病名が『神経芽腫(しんけいがしゅ)ステージⅣ』でした。
その日は一旦、自宅に帰り、いつ帰ってこれるかわからないので
家族みんなで食事に行きました。
次の日に入院。それから生検・カテーテル手術をし、
その後、抗がん剤治療がスタートしました。

抗がん剤治療は、脱毛や嘔吐などとてもつらく、
「よく2歳で耐えられるな」と親のわたしたちが見ていてもつらかったほどです。
その後もさまざまな治療を繰り返しました。

大人では耐えられないほどの大量の抗がん剤を投与したり……本当に大変な手術を繰り返しました。

それでも心々は手術後、痛いはずなのに、早く歩きたくてがんばって歩く練習をしてくれました。

それからも大変な治療は続きました。

まだ幼いため、朝食昼食抜きでの治療が続きました。

食べることが大好きな心々には苦痛の毎日だったことと思います。

その年の11月、晴れて約10ヶ月続いたすべての治療が終わりました。

それからは再発予防のための治療を繰り返しました。

……が、約半年後の平成30年6月22日に受けたCTの結果、
右副鼻腔に再発が認められてしまいました。
神経芽腫は再発したら治療法は定められていない、とても予後不良の病気です。
わたしたちは、神経芽腫の治療に有名な病院にセカンドオピニオンに行きました。
いろいろな説明を受けました。
『今ある腫瘍を上手く消せて、その後、臍帯血移植を受けられたら、
助かるかもしれません』と言われ、
心々は約1年6か月の間、つらい化学療法と陽子線治療を続け、腫瘍を消しました。
心々の「治したい、保育所に行きたい」という気持ちが勝ったのだと思います。

そして令和元年9月17日に、また別の病院に転院しました。

転院後はさまざまな検査をして化学療法も続けて……

ついに、翌年1月20日に臍帯血移植を行いました。

臍帯血後は目が開けられないほどの浮腫みや粘膜障害で何も飲み食いできず、
ずっと血交じりの唾液を出していました。

約1ヶ月後、ようやく生着しましたが、浮腫みはまだとれず、
食欲はありますが食べると吐いてしまい、あまり食べられず、栄養の点滴は外れませんでした。
移植は内服の薬が飲めない子が多いため、鼻にチューブを入れて、そこから薬を入れます。
検査があるときは鎮静をかけている間にチューブを入れなおしますが、
心々は薬の量が多かったため、検査がないときでも自分で鎮静なしのチューブ交換を希望しました。
鎮静なしの交換はみんな嫌がります。
心々も嫌がりましたが薬を飲まなきゃいけないのでとてもつらい処置を泣かずに耐えてくれました。
その頃になると、臍帯血移植でずっと寝ていたため、筋肉がなくなり、
足はやせ細り歩けなくなってしまいましたが
「早くお友だちと遊びたい、早くお家に帰りたい」という気持ちから、
少しずつリハビリをがんばり、病棟を1周・2周と散歩できるようにまでなりました。
そんながんばっている心々を見ると『退院はもう少しなのかな？』と期待してしまうほどでした。

ですが、それからも壮絶な治療は続きました……
なのにまた病状が悪くなり、4月末に検査をした結果、
今度は両肺が肺炎になっていました。
その日から、もっとつらい治療に切り替え、それでも病状が安定せず、
約1ヶ月後にICU移動になりました。

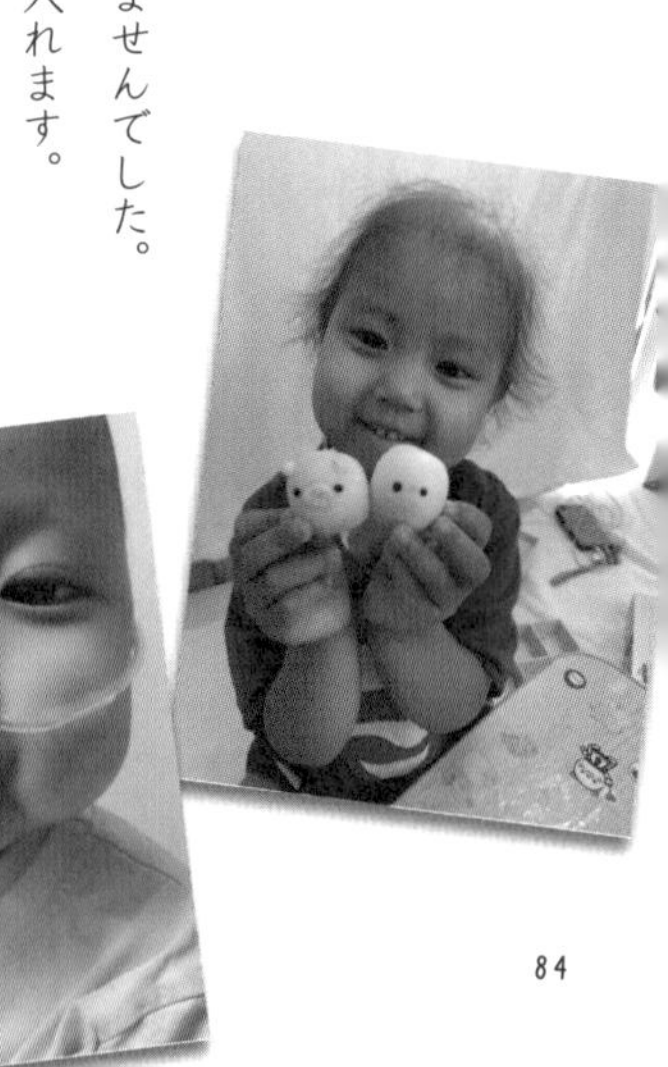

ICUでは親の付き添いができません。
新型コロナウイルスの関係で
1日1回30分だけの面会しか会うことができませんでした。
あとから看護士さんに聞いた話では、いつも心々は
「ママー。ママー」と泣きながら呼んでいたそうです……。
入院中は毎日一緒に居るのが普通だったため、
わたしも一日離れただけでも胸が張り裂けそうな思いでした。
小さい心々はもっともっと不安だったに違いありません。
さみしくてつらくて、だけど苦しくて動けなくて
本当につらかったと思います。

その後、自分だけの呼吸では無理になってしまい、
人工呼吸器につながることになりました。
人工呼吸器につなげると鎮静をかけなければいけません。
先生に「さいごの会話をしてあげてください」と言われ、
わたしは、毎日寝る前に心々と話していた
『大好きだよ。愛してるよ。ずーっと一緒にいようね』
と泣きながら伝えました。
心々は「うん……うん」と頷きながら、
わたしに『ごめんなさい』と言って眠りに入りました。
それが心々とのさいごの会話になりました。

そこから肺が良くなることはなく、
15日には人工肺エクモに切り替わりました。
その後、生体肺移植の話が出ました。
生体肺移植の適応になるよう、わたしたちは祈り続けました。

6月25日は心々の6歳の誕生日。

わたしたち家族は誕生日会を開いてあげたく、家族でＩＣＵの面会の許可をうけました。

それでも病状は好転せずＣＴを撮りました。

その結果、

「脳内出血を起こしており、この状況で意識が戻ることはないだろう」

と言われ……。

生体肺移植も適応外になりました。

「脳内出血を起こし、生体肺移植が適応外になった今、もう治療法がない」

と教授から告知されました。

その後もつらい状況は続き、
わたしたち親はどうしても心々が居なくなることを受け入れきれず、
毎日毎日何か方法はないかインターネットで探しました。
意識が戻らなくてもいい。生きているだけでもいいから肺移植をしてほしいこと……
日本でできないなら海外で肺移植をしたいこと……
などお願いしましたが、どれも「現実的ではない」と断られてしまいました。

小児がんを治すためにとてもつらい臍帯血移植を成功させたのに、
なぜまたこんなつらい思いをさせなければいけないのか。
心々に『臍帯血移植が最後の治療だよ。
けど、今までとは比べ物にならないぐらいつらい治療になるけどがんばれる？』
と聞いたとき『がんばる！』と言ってくれたのに……
本当に病気に勝とうと前向きな子でした。

7月5日、お医者さまに『今夜がヤマです』と言われ、
それからは家族みんなでずっとICUで過ごしました。

7月6日、その日も家族みんなでずーっと一緒に過ごしました。

14時台に不整脈をおこし、心肺0になりました。

ですが、家族みんなの『ここー。ここー。戻っておいでー』の声で戻ってきてくれました。

「もっとみんなと居たかったのかな？

パパ・ママ・ねね・のの・りょうはもっともっと心々と一緒に居たいよ。

だからがんばれ！」

何度も呼びかけました……

それから約1時間後、また不整脈をおこし、
今度はどんなに叫んでも呼びかけても戻ってきてはくれませんでした。

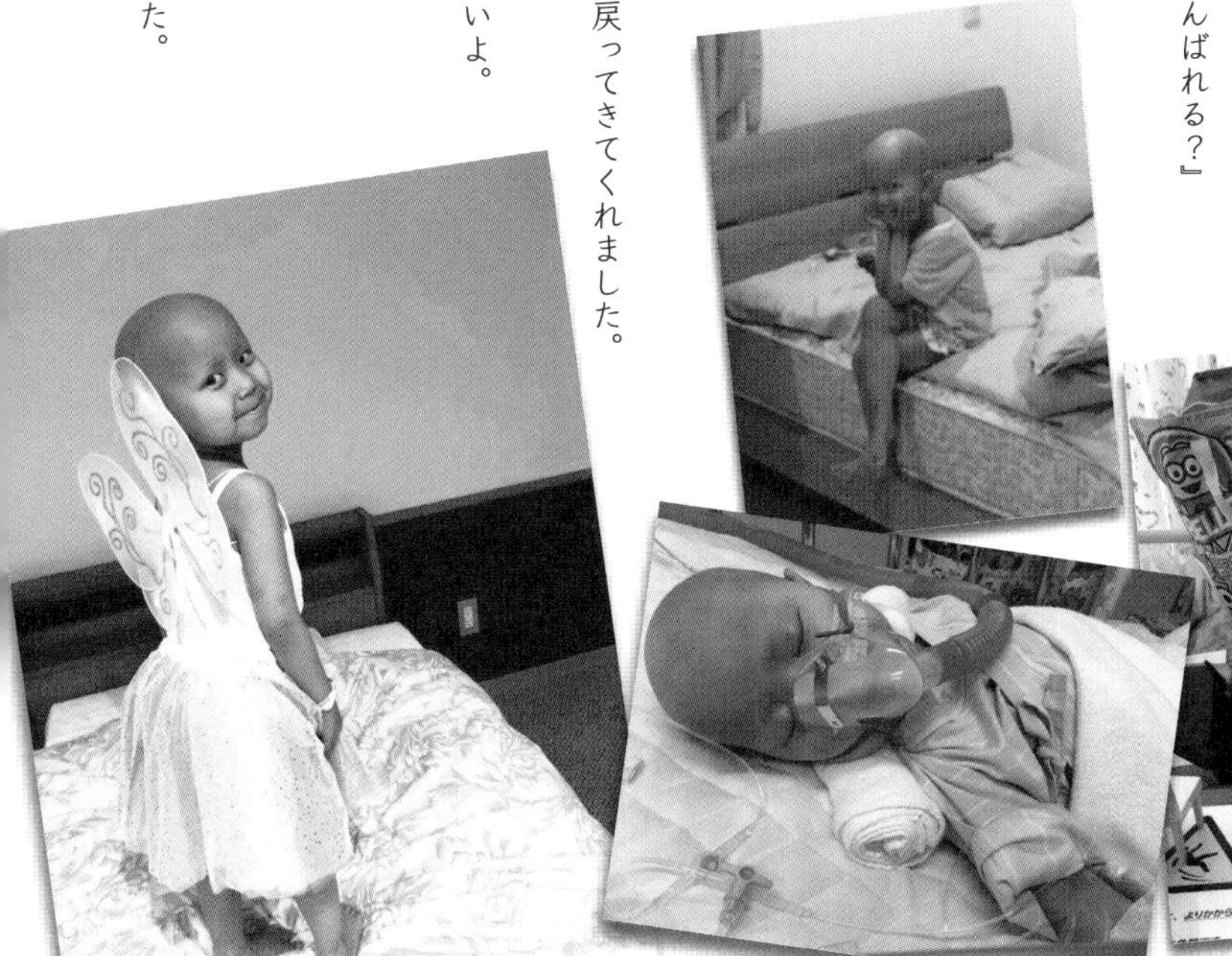

「疲れちゃったよね。もう治療は嫌だよね。楽になりたかったよね」
わたしたち家族の一緒に居たいっていうわがままをさいごまで聞いてくれた優しい心々。
とてもつらい治療を文句も言わずがんばった心々。
入院生活が長く個室からも出られず、だんだん笑顔がなくなった心々。
……つらかったよね。ごめんね。

令和2年7月6日、午後3時54分
……心々は満6歳にて旅立ちました。

生きるために一生懸命がんばった心々を
わたしたちの自慢で最高の娘、甘粕心々を
どうか忘れないでいてあげてください。

『大好きだよ♡
愛してるよ♡
ずっと一緒にいようね♡
わたしたちのところに生まれてきてくれてありがとう。
心々に逢えてしあわせな6年間でした』
心々はいつまでもわたしたち家族のアイドルだよ★
楽しくて素敵な思い出をありがとう。

↓ ママが「家族全員が揃った写真がない」と
残念そうにされていたので描いた、みんなが揃った絵

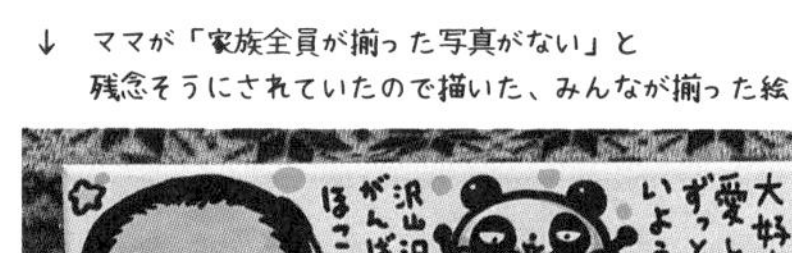

そのちいさなからだでどうしてそんなに
がんばれるの？ってふしぎだった…
でも今ならわかる。あなたがあんなに
がんばりつづけられたのは、きっと…
自分のためじゃなくて
家族のため
だったから。
こんなにも今、胸が
あたたかいのは
心の中にここがいるから
かな？だって「こころ」って字の中には、いつも「ここ」
が入ってるんだよ。ここはいつも私たちの心の中にいる
大好きだよ。愛してるよ。ずっと一緒にいようね♥

ちょくせつだと照れちゃう
こともあるから、そういう時
にはかわりに手におしゃべりして
もらってもいい。声はすぐ
空気にとけてしまうから
紙にのこそう。
どんな
神様
からの
お守り
よりも
あなた
からの手紙の方が、ずっと
強いお守りになるから。

へ
あなたの 出産予定日は 12月27日でした。
でも、せっかちな は 早く生まれたかったのか、
20日も早く産声を あげて 生まれてきました。
腹中に入る 9ヶ月目にも 生まれそうになってしまい
お母さんは、中津川市民病院に入院をして、1カ月間
なるべく動かないようにと言われ ベットの上にいました。
10ヶ月前に生まれると、赤ちゃんも未熟児だったりして
よくないので 10ヶ月になるまで入院をしていました。
その時、お父さんは 毎日病院に来てくれて、いつも
腹中を 触っては 「美人で 賢い子で 生まれてくる
んだよ〜!」と 話し掛けていました。 少し早かった
けど 体重2774g、身長48cm、少し小さ目で
生まれました。 五体満足で 元気で 生まれてきて
くれて、本当にありがとう。
ハイハイするのも、つかまり立ちも早く 7ヶ月位で
歩けるようになり、お兄ちゃん、お姉ちゃんが
さんにも
をかかえて よく遊んでくれました。
とても 可愛いがってもらいました。

お母さんから
に お願いがあります。
は、とても多くの人に愛されて生きている
ことを忘れないで下さい。普段は あまり感じない
かもしれませんが、色々な方に愛されているよ。
だから 自分の命を大切にして下さい。自分だ
けの命じゃないよ。皆に愛されている大切な
命です。 お母さんは 死ぬまで ずっと の
お母さんです。ずっ〜と いつでも子供3人の事を
想っています。心配しています。困った事、何ん
でも 相談して下さい。
は、お兄ちゃん、お姉ちゃんにない、良い
所が 一杯あるので、 らしく生きて下さい。
も 少し反抗期なのか、たまにカチッと頭に
くることがあるけど、お母さんは が大好きだよ!
宿泊研修、ケガ等ないように 元気で 帰って来て
下さい。

母

# 母からの手紙

小学5年生の宿泊研修での夜のことでした。民宿の部屋に来た先生から不意にみんなに渡された母親からの手紙。

思いもかけないその手紙を泣きながら読んだことを覚えています。

わたしがまだお腹の中にいたときのこと、産まれたときのこと、成長したこと。そして「たくさんの人に愛されて生きていることを忘れないで、命を大切にして生きてほしい」という願いと「大好きだよ」という想いが書き綴られていました。


ちょうどその頃は、少し反抗期がきていた時期でした。

「一番上の兄が生きていたら、わたしは生まれることはなかったのではないか……（今は兄・姉・わたしの3きょうだい。子どもを4人も抱えられる裕福さはないと思っていました）褒められたり、愛情の言葉をかけてもらったこともなく、親に叱られるたびに、自分なんていらない子なんだ……などと考えるようになっていました。

今思うと、あの頃のわたしは、まだとても視野が狭かったんだなぁと思います。

大好きだった亡くなったおじいちゃんのところへ行こうと、飛び降りるつもりで何度もベランダの手すりに座りました。


一度も言葉にすることはなかったわたしの気持ちを、母がどこまで察していたかはわかりませんが、あの母からの手紙に本当に救われました。

「愛されているのだと。生きていていいのだと。わたしでいいのだと」

20年近くたった今も大切にしまってある母からの手紙。

今でも泣かずには読めない母からの手紙。

先生って先に生まれるって
かくけれど、自分より
ず〜っと年下の人に
大切なことを教えて
もらうことって実は
けっこう多いんだね。あの、
暗い夜道を照らす
あたたかい月の光のような
やさしい君との思い出が
迷い子にならないように と
今も、いつも、私の足元をやさしく
照らしつづけてくれているから。

## あきらめない気持ちと夢とやさしさ

月（あかる）が教えてくれたものは、あきらめない気持ちです。
足に神経がなくても、どんなにつらくても絶対に歩く、そしてサッカーをするとがんばっていました。
利き手の右手が動かない状態でも、学年が変わるときには
「高校受験せなあかんから教科書はのこしといてな」と言ってました。

あとは、姉の星（ひかり）と兄の空（あおい）に将来の夢をのこしてくれました。
月が退院してから家で過ごした半年ほど携わってくれた訪問看護師さんのようになりたいと
2人とも看護師を目指しています。姉は看護学校1年、兄は高校1年です。

それから、たくさんの方の温かさややさしさをわたしに教えてくれました。
月命日は賑やかに過ごせています。月の同級生たちも、
いまだにたくさん集まってくれます。
そんなかわいい子たちとのつながりものこしてくれました。
学校の行事では、クラスの子たちが月のことを話してくれたり、
テーマに月の文字を入れたりして、
つねに一緒にいるように想ってくれています。
本当にあたたかい仲間です。月にとってもわたしにとっても。

おぼつかない手で打って
くれたであろう　あなたの
ヘンテコな　ひとこと。
世界にひとつだけのその
ことば　は　私の宝物に
なりました。そして今日も
私は　その宝物を
ポッケに心に戦うのです
あなたと一緒に。

父は、そこそこ高齢でタイプ的には古風なほう。大工は得意だけど機械は苦手。パソコンのこともビデオの配線のことも自分ひとりでやろうとすると決まってイライラするから触れないようにしてるみたい。母もしかり。

そんな両親は、そろって6月生まれ。毎年、誕生日にはプレゼントを贈っていて、その年はふたりにおそろいのケータイを贈った。機械が苦手でも文字が大きく映るやつなら、なんとか操作できるかな……と思って。

でも、わたしのヨミは甘かった。母はまだしも、父は「かかってきた電話に出る」のと「着信履歴から折り返す」ことしかできなかった。実践指導をしようと目の前でテストメールを送ったんだけど、その返信すら、ひとこと返すのに30分もかかった。それからも日を変えて何度かメールを送ったけれど、父から返信が届くことはなかった。

そうして数ヶ月後、わたしは乳がんの検査にひっかかった。要精密検査だ。わたしは両親にそのことを話した。すると、父は「再検査受けてもたぶん9割以上はシロだよ。心配いらない」と自信満々な表情で笑った。だから精密検査は、安心を確かなものにするためだ、という気持ちで受けた。

……結果、やっぱりシロだった。すぐにお母さんに電話をした。「よかったね。このあとお父さんにも知らせてあげて」「だってお父さん仕事中でしょ。いいよ。急がなくても」「一応メールでもいいから知らせて。お願いだから」そんなやりとりを経て、わたしはしぶしぶ父に「乳がんの検査結果、シロでした（Vサイン）」とメールした。すると、ほんの5分も経たないうちにメールが返ってきた。まさかの「父」の、まさかの即レスである。

「よかった゜」……そこには、たった5文字の言葉が綴られていた。しかも、5マス目の文字は撥音の〇(マル)で、どう読んでいいかわからない。わからないけど、きっと「よかった。」って書きたかったんだな。それなのに、句読点が出せなかったんだ（苦笑）。でも、それでも、早く安心したことを伝えたかったんだよね。……ていうか、不安だったの？　強がってたの？

一生懸命ケータイと格闘する父を思い描きながら、わたしは不覚にも、泣けてきた。

あとにも先にも、父がこんなにチャーミングなメールを送ってきたことはない。ほかの誰にわかるものでもないかもしれないけど、そのメールはわたしにとってかけがえのない、父の愛情表現だった。この「間違っている5文字」を、わたしは永遠に消すことはないだろう。

# 愛すること、命を大切にすること

「誰からも愛されて、みんなを和ませる、そんな女の子になってほしい」と、愛する我が子に「莉和（りわ）」と名付けました。

莉和は乳児期にアトピー性皮膚炎のため、顔もガサガサして皮膚も突っ張ってしまい、落ち込んだり悩んだりと、わたしは忙しくしていました。今思えば……乳児期に笑顔を見る回数は少なかったです。

でも、1才になるにつれてお肌がどんどん綺麗になって、よく笑うようになりました。「こんなに笑う子だったんだー」と胸が熱くなったのを覚えています。莉和が笑うとわたしたちまで和み、その笑顔に支えられていました。

小さな足で歩くようになり、6つ離れたおねえちゃんを追いかけたり、大好きな飼い猫にぎゅーって抱きついたり、知らない人にもニコッと下から顔を覗かせてみたり……人見知りもせず、好奇心旺盛な姿はたまらなく愛おしいものでした。

そんな莉和は、2019年11月2日にお空へかえりました。2歳2ヶ月でした。2歳のお誕生日を迎えたばかりで、カタコトで話すあの子はとってもかわいかったです。

みんなで、ハロウィンのご馳走を食べた翌日の夕方、いつも通り保育園へお迎えにいき、夕飯を食べている最中……様子が一変しました。ご飯ができるまでアメちゃんを舐めて元気に走り回っていた莉和が気分が悪くなり、嘔吐した。夜中も「水が欲しい」と……でも、水も嘔吐する。様子がおかしいのに、早く病院に連れていくべきだった……のに……わたしは電話相談だけで済ませて朝イチで病院に行こうと思ってしまいました。

翌朝、わたしの隣で莉和は、冷たくなっていました。


「どうしてだろう……どうしてあの子が……なんて、なんで?」って怖くて震えが止まりませんでした。

CTの結果、「大腸に穴が開いている。おそらく腸閉塞だろう」と言われました。ウンチが出づらい、出しにくいということもあり……亡くなってから「あのとき」って。サイン出してくれてたのに……

たくさんの後悔、自責の念が消えませんでした。


莉和がいなくなって、何をするにも手付かずで、いっそ死んでしまいたいって……。人に会うのも嫌で、外に

も出たくないしヤル気が起きない。そんな中、同じ境遇の方とつながりたいと思って始めたインスタグラムで『グリーフ』という言葉に出会いました。わたしが抱いている感情はすべて自然なことだとわかって、天使ママさんたちの優しい言葉に救われたりして、今のわたしがいます。

莉和に「ごめんね、ごめんね」って言っていた日々が、いつしか「ありがとう」へ変わっていました。わたしを選んで生まれてきて、わたしに愛と生きる意味を教えにやってきてくれた莉和は、とっても勇敢で、誇りに思います。

莉和を失ってから、おねえちゃんは一度しか涙を見せていません。病院の外で一人で泣いていた、その一度きり……。写真の緑のハートは、莉和がずっとガチャガチャの前から動かなくて、初めて一人でやったガチャガチャから出てきたおもちゃです。この数日後に居なくなってしまうなんて……。これにおねえちゃんが莉和の魂を込めていました。かわいいですよね。緑のハートのおもちゃは、お仏壇に専用のクッションを作って大切に置いています。

莉和がくれたもの、愛すること、命を大切にすること。

情けない話、わたしは何かあるとネガティブになり、死にたい、楽になりたいと思って生きてきました……本当に悔しくてたまりません。でも、莉和がわたしを選んでやってきてくれて、いっぱいいっぱいいっぱい教えてくれたから、もう大丈夫。

莉和が大好き。愛してる。これからもずっと。

甘えたいのを…
だっこしてもらいたいのを…
グッと、がまんして
こどもたちはママのこと
見守ってくれてる
ずっとずーっと
愛してくれてる。
だからもし夢で逢えたら
めいっぱいだきしめてあげてね
思い切り甘やかしてあげてね。

# 見上げた空の先でつながっている

私は2019年に死産（後期流産）と2020年に初期流産をしています。

SNSでつながっている、同じ時期に死産を経験された天使ママたちのほとんどが、
レインボーベビーちゃんを授かっていく中で今、自分の中に焦りや不安、言葉では表せない想いがたくさんあります。

その後も、なかなか新たな命を授かることが難しく、気持的に落ちてしまっていた日に、とてもキレイな夕日を見ました。

思わず写真を撮って、天使ママのアカウントにその写真と、お空に還った我が子たちへ向けての短い言葉をアップしました。

すると、『わたしも同じ空、見ました』『わたしも撮りました』と、コメントをくれたママさんたちがいました。

たくさんの人がコメントをくれたわけではないけれど、わたしはこの一言にとっても救われた気がしました。

そして『こちらの空もストーリーにあげました』と言って写真を載せてくださったママもいて、すごく嬉しくなりました。

我が子を想って見上げた空の向こうに同じ空を見上げていたママさんがいたんだな……

それぞれ違う場所から同じ時間に同じ空を見上げていたんだな……と。

そんなふうに空を見上げているママはわたしだけではないんだ。ひとりじゃないんだ。

『わたしも同じ空、見ました』の言葉で、改めてそれを実感して、
みんなそれぞれに抱えているものはあるけれど、がんばってるんだ！　わたしもまたここから諦めずにがんばりたい！

という気持ちがこみ上げてきて、優しく肩をたたいてもらえたような……そんな気持ちになりました。

お顔もわからない、SNSだけのつながりですが、だからこそ心に響く『ことば』やつながりというものもあるのかな……と。

同じような経験をしたもの同士が、見上げた空の先でつながっている。

そんな当たり前のことに、救われた気がしました。

何で私だけがこんなにもツラい想いを
しなきゃいけないんだ　って毎日泣いてた
でも私だけじゃなかった
みんな同じような哀しみに
打ちのめされて　泣いていたんだね
私だけじゃない。私一人じゃない。
一人で乗り越えるのがムリな
コトなら　みんなで越えればいい。
だって私は　一人じゃないんだから。

# 祖父がのこした自分史

2年前、天国へ旅立ってしまった祖父。10年ほど前に「自分の頭の衰えと作文能力、体力ともにどんなものか試してみる」と自分史を書きました。

中には、自分の家族構成、家族の仕事、住んでいた場所などから始まり、戦時中の話がほとんどで、どんな部隊にいたかも書かれています。福岡の炭鉱の奉公から炭鉱の経理を経てどうやって埼玉に来たのかなど、孫が知らなかったことがいっぱい書いてあります。

自分史を書いたってわかると「ばーちゃんとの馴れ初めは?」「子どもの話は?」「孫のことは?」と思いますよね?それなのに戦争が終わったところで「以上」ってひとことで終わってしまいました。ばーちゃんの名前すら記されていません(笑)。

文に残っていないのは残念ですが、自営業をしていた両親の元、土日は祖父と遊んだ幼少時代を過ごしていたわたしが、反抗期に暴言を吐いても、喧嘩して帰らせても、次の週にはまた来てくれたじーちゃん。その優しさと強さの土台を知ることができました。

97歳で亡くなるまで、しっかりお話して自分の足で歩いたんですよ? すごいですよね! 胃がんも股関節の骨折も乗り越えたのに、熱で入院したと思ったらお見舞いもなく天国へ行ってしまいました。「誰にも迷惑をかけん!」というじーちゃんの意志を感じる最期でした。

手書きの本は叔父がデータにして印刷しました。じーちゃんが亡くなって「製本したい」と思い、叔父からデータをもらって冊子をつくり、親族に配りました。こっそりあとがきも書いてしまいました。あとがきには直接伝えられない愛と感謝の言葉を贈りました。大好きなじーちゃんがのこしてくれたこの本は、わたしの宝物です。

じーちゃんのことを
話すと、きまって私たちは
ゲラゲラ笑ってしまうのです
死んでもなお私たちを
笑かしてくれるあなたは
私たちにとって誰よりも
立派な偉人さん（笑）
しんみりしなくて
ごめんね（笑）
でもそれくらい、じーちゃん
のこと、みんなずっと大好きだよ♥

「弟のこと頼んだよ」
きっとそんな風にみんなに
伝えてくれたんかな？
自分より周りのこと
大事にしちゃう
自慢の兄ちゃんだったから…
大丈夫だよ安心してね？
兄ちゃんにはもう会えないけど
兄ちゃんの優しさには今も会えるから
みんなの中に兄ちゃんがいるから。

# 兄の人柄がのこしてくれた特別な人たち

僕が中学生のとき、高校生だった兄が事故で亡くなりました。

それから兄の友だちが仏壇に手を合わせるついでに、家で遊んでいくようになりました。

17年経った今でも遊びにきてくれます。

兄とはちがう、無条件で甘えられる人がたくさんできました。

これも兄の人柄があってこその関係だと思っています。

兄がさいごにのこしてくれた、特別な人たちです。

## 心菜（ここな）はいつまでも世界一自慢の娘

2015年2月4日、
3450グラムの丸々とした女の子が元気な産声をあげました。

〝心〟がある人に育ってほしいという願いを込めて
『心菜（ここな）』と名付けた娘はとても活発で、
生後半年でハイハイをマスターし、10カ月には歩き始め、
大人たちはいつも追いかけ回していたほど元気いっぱいな女の子でした。

そんな娘の病気が発覚したのは2019年7月。
4歳5ヵ月だった夏のことです。

数カ月前からなんとなく異変を感じ、
小児科を受診しましたが異常なし。
しかし、受診の数日後「ママ、左手のパーができない」と言い、
次の日にはついに歩行もできなくなり、
娘を抱えて病院に駆け込みました。

CT検査の結果、脳腫瘍の疑いで緊急入院。
次の日に小児脳腫瘍対応病院に転院し、
MRIや生検手術を経て8月8日に
『びまん性正中グリオーマ』と診断され、
1年生存率10％と残酷な告知を受けました。

診断後は放射線治療とステロイド服薬を入院にて開始。
「完治に向けた治療ではないのに
娘にこんなつらいことをさせてもいいのか？」
と葛藤もありましたが、
弱音も吐かず懸命に治療に立ち向かう娘の姿に逆に力をもらい、
〝奇跡は絶対に起きる！〟と、
家族一丸で前向きに過ごすことができました。

退院後は娘のがんばりが実り、
以前のように元気に動き回ることができ、
娘も家族も笑顔いっぱいな時期もありました。

しかし、放射線治療のわずか2か月半後、無情にも再燃。
病魔は確実に娘の身体をむしばみ、
左半身麻痺から始まり、さまざまな機能を奪っていきました。

元気印だった娘が動けなくなっていく現実は苦しかったですが、
本人は文句ひとつ言わず、ときおり持ち前のユーモアを交えながら、
日々精一杯の力で過ごしていました。

あえて動かしづらい左手を日常のあらゆる場面で使い、
歩行もバランスを取りながら歩く方法を習得。
よく転ぶので足はあざが目立ち、
力を入れる左足の親指の爪は剥がれていきましたが、
限界まで自力で歩き、
歩けなくなった日は痛みで靴を履くことさえできませんでした。
その後も、固形物が食べられなくなり、
寝たきりになり、右側も動かせなくなり、
瞬きでの意思表示もできなくなり……と
狂おしいほどに自由を奪われていきました。

それでも娘はできることを探し、
最期は左の鼻の穴と舌ベロでお返事。
旅立つそのときまで
心菜はいつだって前だけを向いていました。
……ですが、一度だけ、こんなことがありました。

発病から1年強。
身体も不調で、治療や入院と……誰よりもつらかったはずなのに、
ひとつの文句も言わず、ただただ懸命に過ごしていた心菜ですが、
一度だけ、溢れる想いを堪えきれないかのように泣いたことがありました。

2020年4月、放射線の再照射のため入院していた遠方の病院で……
さらにコロナの影響もあり、
会えるのは付き添いのママのみの入院生活をしていたときのことでした。

外出も絶対に禁止の中、心菜にとって一番の楽しみはパパと弟とのテレビ電話。
電話の度に「早く会いたいな」と言っていました。

そしてついに退院の日。大好きなパパが迎えにきてくれるので、
心菜は朝からワクワクが止まりません。

時間が近くなると車の出入りが見える窓に張りつき、今か今かと待っていました。
パパが地下駐車場に着いたことがわかると一度電話をして
「地下1階からだと〝4〟を押すとこられるからね」と指南（笑）。
電話のあとはエレベーター前に移動して、扉の前でパパを待ちます。
そして、扉が開き、待ちに待ったパパが登場しました。

普段口も開かないほど無口なパパが
「わーっ!」と手を広げてきたことも驚きましたが、
それ以上に、直前まで笑っていた娘がパパに会えた瞬間に、
今まで聞いたことのないような声で泣き出し……さらに驚きました。

思い返してみると、
娘にとってパパは生まれてからずっと素直に甘えられる人。
そのパパに会えて、それまでがんばっていた気持ちの糸が
フワッと緩んだのかなと思います。

その姿に、心菜はとてつもなく強い気持ちで
いろいろなモノを胸に秘めながら一生懸命に過ごしてきたのだと、
1年以上経った今、気付かされました。

闘病中……どんなときでも娘はつねに感謝の気持ちを持ち続け、
ママへの手紙にはいつもお洗濯やお料理などの家事について
『ありがとう』と綴ってくれていました。

そして、麻痺が進行していた頃にパパに宛てた手紙には
『ぱぱだいすき。いつもここをたすけてくれてありがとう』
と書いてありました。

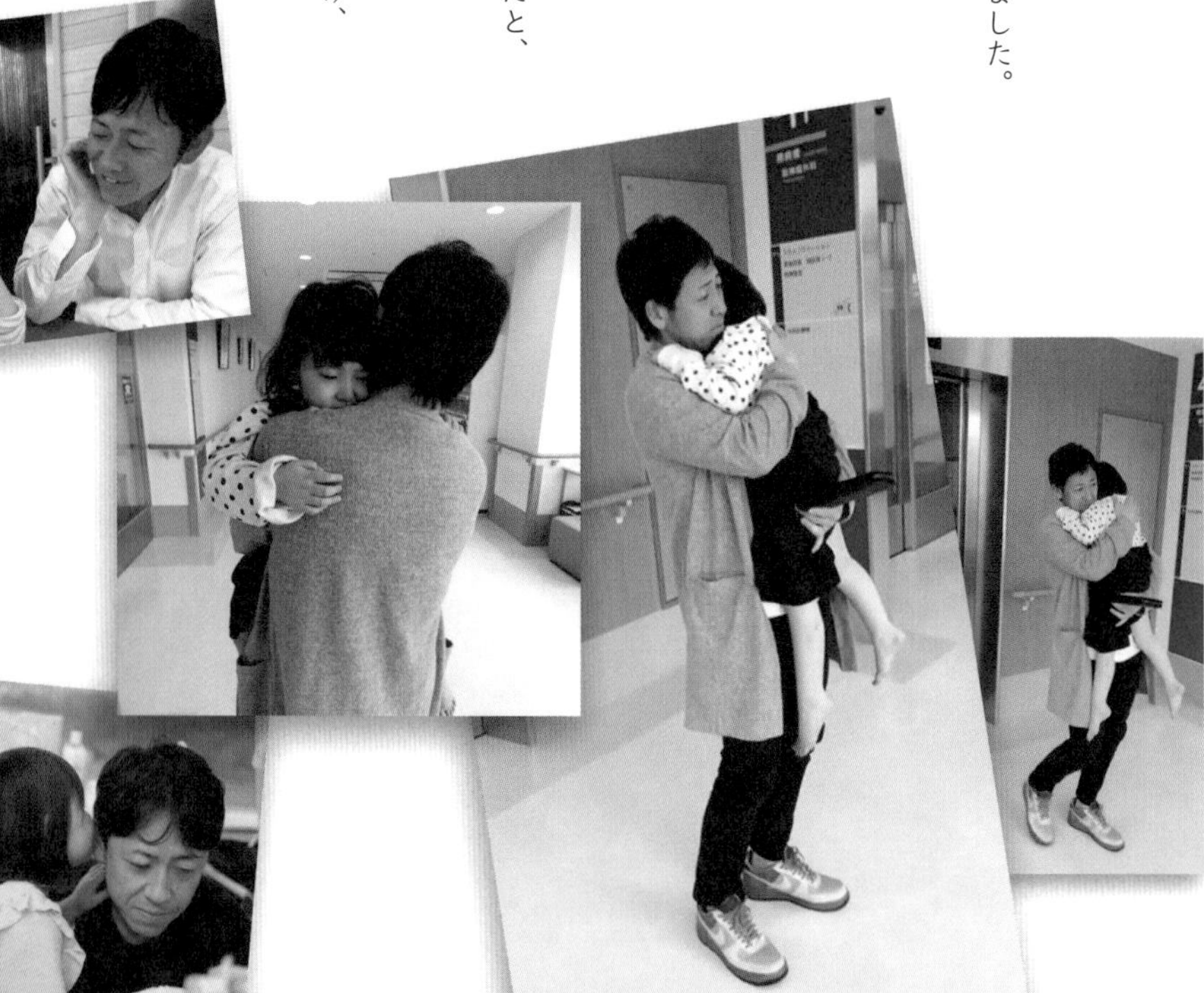

あの日、わたしたちはみんな笑うつもりで
そこにいた。けど実際はその時、
そこにいたみんなが泣いていた。
うれしくてうれしくて、だいすきすぎて、
いとしすぎて、涙があふれてとまらなかった。
あなたがおしえてくれたものが…
あなたがのこしてくれたものが…
いつも私たちを
あたためてくれている
数え切れないほどの宝物が
ここに心に、あふれてる。

本当は思うように身体が動かせないことが悔しいはずなのに、
素直に感謝できる綺麗な心を持ち、
動けなくなる日まで
家のお手伝いや弟のお世話をしてくれた……
本当に本当に、人想いの娘でした。

旅立ってから聞いた、
お友だちやお友だちママからのエピソードは
感心するものばかりでした。

娘は世話焼きだと以前から先生には聞いていましたが、
特におとなしいお友だちのことは気にかけていたらしく、
その子たちのママがお迎えにくると
一日の様子を報告していたそうです。

数人のママさんから
「いつも息子の様子を教えてくれて助かりました」
「頼りにしていました！」
「わたしにとってここちゃんは副担任のような存在でした」
と声をかけていただきました。

また、一緒にお迎えに来ていたクラスメイトの妹さんが入園すると知ると、
その子がいるときに
「今度○○ちゃんが○組に入るからみんなよろしくね！」
とクラスのみんなに呼びかけていたそうで、
その子のママからは
「おかげで入園したときは上のクラスの子たちが気にかけてくれて助かりました。」
と言っていただけました。

クラスの仲間とは分け隔てなく仲良しだったそうですが、
途中入園のお友だちのことは気にかけていたのか
ある子にとっては「初めて話しかけてくれた人」
お友だちが教えてくれました。

すべての話に娘の心配りや優しさが溢れていて、
名前の通り『心』のある子だったのだと、
親として大変嬉しく思いました。

心菜へ

パパとママは、
一生懸命と強さと優しさの本当の意味をあなたに教えてもらいました。
いつかあなたに会えたときに褒めてもらえるように
心菜をお手本にがんばるからね。
いつもお姉ちゃんの後をついて回っていた弟は、
あなたが見せてくれた背中の通り、優しく強い子に育っています。
さすが心菜が大好きな弟だね。
心菜、パパとママの子どもに生まれてきてくれて本当にありがとう。
心菜はいつまでも世界一自慢の娘です。
大好きだよ。

ママより

※ 左のページの絵は、心菜ちゃんママからこんなメールをいただいて描かせていただきました。
『心菜は麻痺でおしゃべりできなくなってから約2ヶ月間を過ごしました。心菜がまたしゃべれるようになったらわたしが一番聞きたい言葉は「らいき！」でした。弟の名前を呼んでほしかったです』

思えばいつもあなたはみんなを笑顔に
してくれたね。おしゃべりでひょうきんで
みんなを笑わせる天才だった。
あなたは世界一の自慢の娘。だから
あなたに会えなくなった私たちは
あの時きっと世界一哀しかった。
けどね だからこそ胸を張って言えるのは
私たちはそれまであなたにずっと
ずっとずっと世界一幸せにしてもらってたよ。
まちがいなく世界一幸せだったよ。ありがとう。
大好きだよ。ありがとう ありがとう。大好きだよ♡

らいき♡

毎日がんばってる
お母さんお父さん
世界中の病気と
たたかうこどもたち
そして大切な人との
別れのかなしみに
立ち上がれなくなって
しまってる
すべての人たちに…。
ほんの少しの勇気と
元気が届けられ
ますように…。
フレフレみんな。フレフレ自分（あなた）。

みんなに送って
もらったエピソードは
これで全部です。
次のページからまた物語
「あなたがつないでくれ
たもの」に戻ります。
それでは
どうぞ♥

……数年後。

結衣ちゃんにもう一度出会え、元気をもらったママは、結衣ちゃんのお姉ちゃんが通う高校で、先生と子どもたちとをつなぐお仕事を引き受け、みんなのために働きました。

それから、たくさんたくさん勉強をして、保育士さんの資格をとり、夕方、ママたちを待つ園児たちのお世話をやっています。

子どもたちの中には「ゆいちゃん」という名前の子が2人もいます。結衣ちゃんママも毎日何度も「ゆいちゃん」と呼びます。とてもうれしい瞬間だそうです。

園のゆいちゃんはまだ小さいので、毎日いっぱい抱っこしています。

お姉さんのゆいちゃんには折り紙を折ってプレゼントしているそうです。

そして、僕は
結衣ちゃんと出会ってから
『想像して似顔絵を描く』という
グリーフケアの絵を
たくさん描かせてもらうようになりました。

赤ちゃん……
子どもたち……
すべて
結衣ちゃんが
つないでくれた縁です。

目を閉じると
あれからもっとお姉さんになった

結衣ちゃんが
みんなの手を引き
お散歩している……
そんな楽しそうな姿が
目に浮かぶのです。

―あなたがつないでくれたもの―
おしまい

さいごに、この絵本の原稿を読んでくれた結衣ちゃんママからのお手紙を紹介させてもらいます。

『お話拝見しました。
ありがとうございます。素晴らしいです。
結衣が赤ちゃんで亡くなったときに、絵本にしたいとずっと思っていました。
それは赤ちゃんは産まれるのが普通のことではないからです。
奇跡の連続でわたしたちが生きてると感じてほしかったから……
それを、先生が叶えてくれました。
先生との出会いは奇跡でした。
今年（２０２０年）は社会的に暗い年になっていますが、
わたしの周りにはすごいことが次から次へと起きています。
二十歳になった長女が妊娠しました。おばあちゃんになるんです。
結衣の母より』

みんながのこしてくれた。
みんながおしえてくれた。
ほんとうのかなしみとそして
ほんとうのしあわせ。
みんながみせてくれた…
その、ちいさなからだに
おさまりきれないくらいの
おおきな愛（あい）とやさしさを
ぼくは、ほこりにおもう。

ありがとう。
あなたたちは
ぼくたちみんなの
ヒーローです。

2021年5月5日
あなたたちのひであり
ぼくのとうちゃんが
たびだったこのひに、
あいをこめて
あとがきのかわりに

中村満（なかむら みつる）

# 『あなたがのこしてくれたもの』

## 制作プロジェクトのサポーターの方々

Thank you for your support

本当にたくさんの方々に支えられて、この本はできました。
ここでは、Makuake にて応援購入をしてくださった方のうち、一部の方のお名前を
敬意をもって、掲載させていただきます。順不同となります。

GOLD 榮倉
Hi-romi
KOHAKU364
☆ mik@ ☆
RIWAMAMA
S やすよ
愛甲八生
阿部 賢
あまかす ここ
あまかす ねね
あまかす のの
あまかす りょう
あまかす まい
アンディ
伊井田誠貴 & 和美
いなおか なおみ
岩永学
遠州伸高優見星空月
小原 慎司

加藤悠記子・日向子
鬼頭 慎
古関 六花
幸せプランナー雅寿
荘内電気設備（株）
食の元氣（株）
鈴木あづみ
武内龍伸
ちば あゆみ
堤（田中）菜々美
天使ママ・パパの会「よつばのかい」
とん
ナカムラコウタ。
にこにこ 257 の会
野寄聖統
はやまなのあっちゃん
ひなたママ

平沼勉瑠美ひめこ楽想
ふーちゃん (・ω・*)
藤原雄介
北條未来・緋菜・璃空
ほさかりく
星野 光子
まるお ひさのぶ
みおけいとひさいちと
みつこ & みそら
みね たかし
森山大樹
山口律子
莉心ちゃん天使ママ瞳
りむのパパとママ
ろーそん sun

痛みや
哀しみに
温度が
あると
するのなら
それはきっと
あたたかい。
©326
326

**326（ナカムラミツル）プロフィール**

佐賀県出身、ポップなイラストに詩を添えるスタイル〈イラストライター〉として十代の時にデビュー。その後、音楽活動（19のメンバーとして）やオモチャのデザイン、絵本やエッセイや作品集の執筆やTVやラジオの番組の司会やアニメの製作や学校の先生など、その活動は多岐に渡る。著書には『いつもみてるよ、がんばってるのしってるよ。』『やさしいあくま』『恋に殺されそう…。』など多数。最近は昔からのゲーム好きがこうじてゲーム作家としても活躍中。大の漫画好きなので漫画やアニメの原作を執筆中でもある 明るいオタク。社交的な引きこもり。仕事中毒。

**Twitter**：https://twitter.com/nakamura326/

**YouTube**：https://www.youtube.com/channel/UCNG5tVBL1sCuqrTcMZW7A2w

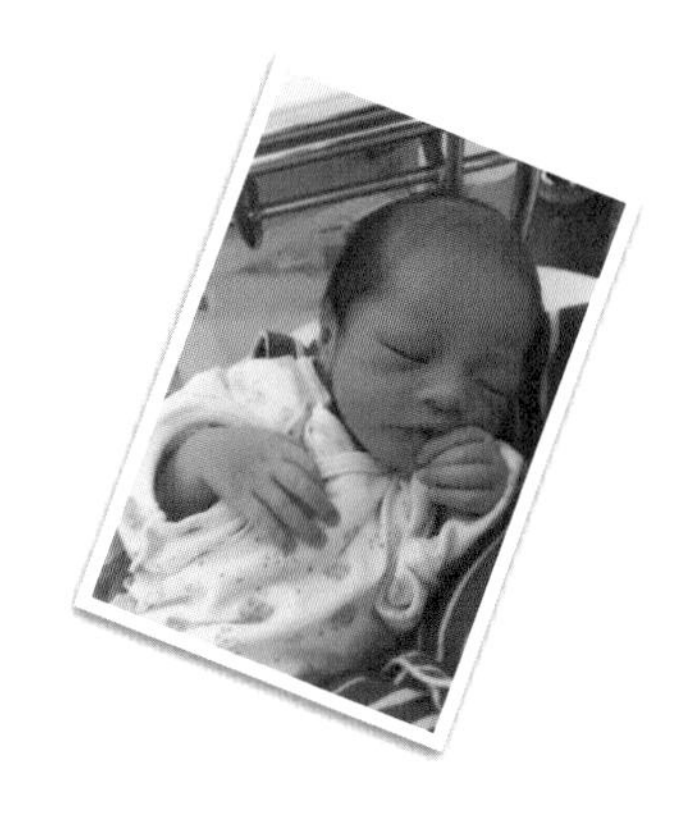

この本をつくっている最中に結衣ちゃんママの初のお孫さんが誕生しました。
「結衣ちゃんがつないでくれたもの」が、またひとつ、増えたのです。

あなたがのこしてくれたもの

2021年 6月22日 初版第1刷 発行

**絵と文** 326（ナカムラミツル）
**編集・装幀** 松本 えつを
**制作協力** 木全俊輔 ／ 日比享光 ／ 野本公康

**発行** CHICORA BOOKS（ちこらブックス）
**所在地**：〒160-0004 東京都新宿区四谷1-7 装美ビル2/3F
株式会社アンサング内
**TEL**：03-5315-4586（代表） **FAX**：03-6866-8640
**URL**：www.chicora-books.com **e-mail**：info@chicora-books.com

**発売** 株式会社 三恵社
**所在地**：〒462-0056 愛知県名古屋市北区中丸町2-24-1
**TEL**：052-915-5211 **FAX**：052-915-5019
**URL**：www.sankeisha.com **e-mail**：info@sankeisha.com